Travesuras en el Trabajo

PERLA GIZEM

ISBN: 0-9998365-3-6
ISBN-13: 978-0-9998365-3-8

DEDICATORIA

Para todos aquellos que saben que sin travesuras,
la vida no es vida.

CONTENIDO

RECONOCIMIENTOS

Para todas esas hermosas personas que me apoyaron desde
el día que comencé a publicar. ♥

1. LA AGENCIA PLATONIC

"Nunca sabes lo que puedes encontrar a la vuelta de la esquina". Esas fueron las palabras de Alphonse Rieter cuando empecé a trabajar para la revista Platonic. Aunque lo había dicho con entusiasmo en esa ocasión, pude notar que aquella frase había sido gastada en cada rostro joven que entraba por primera vez a la agencia. Yo sólo era una redactora más para él, sin una frase especial que me inspirase.

Sin embargo, eso no me detuvo. Si esa era la consigna del señor Rieter, entonces la tomaría al pie de la letra. Siempre supuse que se refería a que, cuando se trata de conseguir una noticia o un escándalo, lo que toca es salir a la calle y observar, preguntar a contactos y, en ocasiones, hacer de detective. Con estas técnicas, mi colega David Smith y yo, Margaret Tennenbaum, habíamos tenido uno que otro éxito. Nuestra cacería más reciente había dado resultados cuando descubrimos a un famoso actor de Hollywood (cuyo nombre no diré para no avergonzarlo... más de lo que se avergonzó a sí mismo) que algunas noches entraba a un hotel, a tan sólo dos cuadras de la agencia. Lo curioso era que cada vez que entraba había una chica diferente con él. De más está decir que a su esposa no le gustó mucho cuando el escándalo sexual de su marido apareció como la primera plana de no sólo la revista Platonic, sino de varias revistas nacionales. Habíamos sido un éxito.

Muy bien, seré sincera, fue David quien fue por la noticia. Cierto, yo fui quien escribió el artículo, pero el verdadero crédito se lo merecía mi compañero de trabajo. Él había seguido sus pistas, sus contactos y había llegado a la fuente del éxito. Yo tan sólo me había acoplado a sus resultados.

Mi trabajo era el de estar detrás de un escritorio, pasando las horas escribiendo artículos junto a otros tres escritores con los que no me llevaba nada bien. Eso, y observando el ventanal de cristal de la oficina de Alphonse Rieter. No podía apartar la mirada cuando subía las persianas y caminaba de un lado a otro, o cuando observaba a través de su ventana de forma pensativa, o como esa vez que se manchó la camisa con un bolígrafo nuevo que había venido mal de fábrica, y tuvo que cambiarse; él olvidó cerrar las persianas y todos pudimos ver su musculoso cuerpo, el grosor de sus brazos, el sudor que le corría por los pectorales, y... y...

Disculpen, me dejé llevar. No, no estoy enamorada del señor Rieter... creo. Digo, no es más que una atracción debido a la tensión laboral. Es perfectamente normal. Es joven, además es tremendamente apuesto y tiene un culo perfecto que a veces da ganas de... Disculpen, volvió a pasar.

En fin, este trabajo significa mucho para mí. No es todo lo que he querido de pequeña pero paga las cuentas, y nada me apasiona más en la vida que tener un techo sobre mi cabeza y no morirme de hambre. Por eso, jamás podría tener algo con mi jefe, aún si él se abalanzara sobre mí (y si algo así ocurriera, espero poder controlarme; mente sobre cuerpo). Y por curioso que esto parezca, siempre sospeché que mi mayor contrincante por el afecto del jefe era... David. Y no podría arriesgar mi amistad con la única persona de la agencia que no era un completo cretino.

Pero esa mañana en especial, David había salido de la oficina del señor Rieter echando humos por las orejas. No parecía haberle ido bien en la reunión con el jefe. Bajó las escaleras de caracol frente a la oficina del señor Rieter hasta la sala principal donde estaban los escritorios de cada miembro de Platonic, que estaban desordenados por toda la habitación para dar un toque moderno (o al menos, eso había dicho el diseñador de interiores que habían contratado; no había sido un buen diseñador de interiores). Como sólo éramos una sucursal de la revista, con no más de doce miembros del equipo, todos pudieron observar el rostro de David al salir de la reunión. Él tan sólo los ignoró, como solía hacerlo, y se dejó caer en uno de los sofás verdes fluorescentes que formaban un círculo en medio de la habitación (otra gran idea del diseñador de interiores, y para evitar dudas, sí, estoy siendo sarcástica), estiró sus piernas, cerró los ojos e hizo ademanes efusivos y exagerados con una mano para que yo me acercara. Tenía una larga lista de artículos que escribir y editar, pero ¿cómo podía rechazar la llamada de auxilio de mi mejor amigo? Sí, me levanté de mi asiento y me dirigí hasta el círculo de sofás verdes con la completa intención de ayudarlo con sus pesares, y de saber sobre su encuentro con el señor Rieter.

—Entonces, ¿cómo te fue en la reunión? —dije, chismeando casi al instante.

—Terrible, fue el holocausto de las reuniones laborales —contestó David, con su usual tono de voz que lo hacía sonar como si se estuviera muriendo por dentro—. Maggie, ¿por qué los hombres heterosexuales son tan obtusos?

—Bueno, si quieres una respuesta, necesito saber qué pasó en esa oficina —contesté, sentándome a su lado—. La versión completa, con detalles incluidos.

David había estado estirándose por el sofá verde por tanto tiempo que empezaba a caerse hacia el suelo de madera, lo cual era una imagen graciosa considerando lo alto que era. Se enderezó para sentarse derecho, y se volteó a verme.

—¿Recuerdas la espectacular, increíble e imposible de rechazar pista que conseguí ayer en la noche?

—Me acuerdo.

—Fue rechazada.

—Uno pensaría que al ser "imposible de rechazar", no debería ser rechazada —dije, suprimiendo una sonrisa.

—Sí, bueno, contra la estupidez humana no se puede hacer nada. —David empezaba a acomodarse en su asiento, pero nuevamente sus piernas volvían a estirarse por el suelo. Dentro de poco estaría acomodándose una vez más—. Supongo que ahora que no puedo hacer nada al respecto, puedo contarte.

Recordaba lo excitada que se escuchaba la voz de David a través del teléfono ayer en la noche. Él era un hombre que odiaba las llamadas y, a pesar de esta cualidad, había ido en contra de sus principios de sólo chatear para decirme que tenía una buena pista y que no podía contarme nada al respecto, lo cual hacía el propósito de la llamada inexistente. No hace falta decir que fue una llamada muy corta.

—¿Te acuerdas de mi amiga de la infancia, Celeste? —preguntó David.

—¡Sí, claro que me acuerdo! —mentí descaradamente.

—¿De qué color era su cabello? —preguntó David. Quedé en completo silencio y agaché la cabeza mientras él se regodeaba en su astucia—. Está bien que no la recuerdes, no es una persona memorable. Lo importante es que ella conoce al dueño de un gimnasio en la calle Nueva Guatemala, creo que se llama Gold Gym o Golden Gym. Al parecer le mencionó que alguien importante va a ejercitarse de vez en cuando.

—No veo nada de malo en algo de ejercicio.

—La cosa está en que no usa ninguna de las máquinas para su rutina de ejercicio, sino a uno de los clientes regulares.

Solté una carcajada que rápidamente tuve que callar al recordar que estaba en horas laborales. Dirigí mi mirada a la oficina superior, pero las persianas continuaban cerradas. El señor Rieter no me había escuchado. Por otro lado, el grupo de los otros tres escritores me dirigían miradas de inconformidad en mi dirección, en especial Pamela Jones. Dios, cómo odio a Pamela.

—Creo que la tigresa te tiene el ojo encima —dijo David con una sonrisa.

—Sí, bueno, tal vez sería mejor que habláramos de esto en otro lado, no quisiera que los tres chiflados nos escuchasen y se robasen la historia del siglo.

—No importaría, realmente —David soltó un bufido y enterró su rostro entre sus manos—. Rieter me dijo que parecía tratarse de un rumor sin sustancia alguna. Cuando insistí en seguir el rastro, me prohibió usar horas laborales para ello.

Eso sí era raro. David había conseguido la mejor historia de nuestras carreras gracias a que había seguido algo menos que una corazonada, y el eslogan personal de nuestro jefe trataba sobre indagar en los rincones, donde nadie pensaría que se puede encontrar un nicho de escándalos. ¿Por qué este cambio repentino de actitud?

Mientras yo pensaba en como confortar a mi amigo, no pude evitar notar como sus ojos iban de un lado a otro, observando las paredes de ladrillo de la oficina (otra vez, diseños modernos de un estilo retro que no quedaba bien en el pasado, y que definitivamente no quedan bien en el futuro), entre los que colgaban los premios por el artículo que nos había dado nuestra fama en el mundo periodístico, y los carteles motivacionales de gatitos que Pamela tenía detrás de su escritorio. Dios, como odio a Pamela.

—Supongo que no hay nada que hacer. El señor Rieter debe estar nervioso por algo —dije, y puse mi mano en el muslo de David para intentar reconfortarlo—. Tal vez se deba al evento de gala de la próxima semana. Tal vez sólo quiere mantener un perfil bajo, no meterse con ninguno de los invitados.

—Maggie, esto es una mierda.

David se levantó de su asiento repentinamente, tomó su chaqueta que siempre dejaba tirada sobre el sofá y salió del edificio, con una nube negra de frustración rodeándole. Pude escuchar las risitas de Pamela y sus secuaces haciendo un rastro detrás de mi compañero de trabajo. Dios, como odio a Pamela. ¿Ya lo había dicho?

El resto del día pasó sin muchas eventualidades. Las seis de la tarde se hizo anunciar en el reloj de la oficina, y la mayoría de mis colegas fueron a sus casas. La gran sala quedó vacía, y empezó a oscurecer tanto afuera del edificio como adentro. En un mar de escritorios muertos, sólo habían dos que permanecían con sus lámparas encendidas encima de ellos: el mío, y el de Alphonse Rieter. Como siempre, era el último en irse a su casa. Para mí, tan sólo se trataba de uno de esos días, y si fuera una persona más divertida, me enojaría que hubiera ocurrido en un viernes. Lo normal era que a esta hora estuviera sin sostén o tacones, comiendo helado en el sofá de mi apartamento y poniéndome al día con mis series favoritas, pero hoy había ocurrido un estancamiento de investigadores. Dicho de otra manera, no había tenido mucho de lo que escribir en los últimos días, pero esta mañana había recibido la orden de empezar con una cantidad castigadora de artículos para la edición de Noviembre de Platonic.

Eran las 6:30 p.m. cuando terminé de revisar el último artículo del que fui capaz de escribir antes de volverme loca, y empecé a recoger mis cosas. Pensé en despedirme de mi jefe, pero en seguida descarté la idea al pensar en que de seguro lo interrumpiría en medio de una importante llamada, o… no sé, lo que sea que hagan los altos cargos. Siempre los imagino en una eterna llamada importante. Si seguía matándome en busca de un ascenso, pronto descubriría la verdad detrás del mito.

Esperando a que mi laptop se apagara, en una espera interminable que me exigía pararme como una idiota frente a una pantalla en la que se leía "3 de 27 actualizaciones listas", escuché pasos en la escalera de caracol. Al voltearme, pude ver a mi jefe bajando de su oficina, con su chaqueta negra de cuero (amo los viernes casuales) y su maletín de lado.

—Hey, Maggie, ¿trabajando hasta tarde?

No respondí en seguida. Mis ojos se perdieron en la figura tipo escultura de Alphonse Rieter. Todo en él indicaba que había elegido la carrera equivocada, y que debía de haber sido modelo de ropa interior. ¿Altura? La tiene. ¿Delgado? Con abdomen cuadrado y todo. ¿Estilo? Estoy segura que ya mencioné la chaqueta de cuero. Y si eso no es suficiente, su perfecto cabello liso y negro, peinado hacia atrás con una onda sexy hacia un lado hace que me sienta como si…

—¿Maggie? —preguntó mi jefe. Sin darme cuenta, había llegado hasta estar cerca de mí—. ¿Estás bien?

—¿Qué? ¡Oh, sí! Sí, todo está bien. —Y como era usual, empecé a hablar rápidamente y riéndome cuando ningún chiste se había contado. Era imposible no sentirme nerviosa cerca de él, y había sido así en cada ocasión desde que me había entrevistado para mi puesto de trabajo hace un par de años—. Es sólo que ha sido un día largo. No quería irme sin terminar con la semana, ¿sabes?

—Trabajas muy duro, Maggie. Me gusta eso de ti.

Oh, dios. Un cumplido. No esperaba que me atacara tan salvajemente, sin piedad alguna, con un sanguinario y brutal cumplido. En seguida, me empecé a sonrojar. ¿Qué puede hacer una chica cuando un galán dice cosas como esas? Y digo galán, por no usar una palabra menos elegante pero más cercana a lo que siento. Más... atrevida.

—Gracias, señor Rieter.

—Siempre llamándome "señor Rieter". Deberías llamarme Alphonse, o Al. Te lo digo siempre. No tienes que ser tan formal conmigo —dijo Alphose. Sacó de su bolsillo unas llaves que debían de pertenecer a su auto—. ¿Quieres que te lleve a tu casa?

—Cla... claro. Digo, si no es problema.

—No lo es —contestó mi jefe, con una sonrisa.

Ambos salimos de la oficina, y mi jefe se encargó de apagar las luces. Entonces, los dos entramos al ascensor, y fue ahí cuando la atracción que sentía por él fue disipada y reemplazada con un sentimiento de inseguridad.

En el espejo del ascensor, observé el reflejo de dos mundos completamente diferentes. En uno, estaba el sensual, carismático, inteligente y exitoso (y muchos adjetivos más) Alphonse Rieter, editor en jefe de Platonic. El hombre con la oficina de arriba. En el otro mundo, estaba yo, la escritora de los escritorios de abajo. Vestía un sweater verde comprado en una tienda de descuentos, una falda roja que había usado un par de veces sin haberla lavado, y unos zapatos que menos mal no se alcanzaban a ver en el espejo, mientras que él debía de estar usando un traje Armani nuevo cada día. Mis lentes enmarcados en negro, mi cabello oscuro amarrado en un moño y mi aspecto de cansancio eterno me hacían parecer una secretaria glorificada en lugar de una escritora. Y la comparación entre mi bolso y su maletín es tan vergonzosa que me ahorraré ese pedazo de dignidad que me queda. Él era la imagen de un mundo en el que todos quieren estar, que todas quieren tener, y yo… bueno, yo era el mundo real. No pude evitar sonreír al pensar en ello, con algo de nostalgia en los ojos de un reflejo que me miraba de vuelta. ¿Por qué me molestaba en fantasear con lo prohibido?

El ascensor se había cerrado detrás de nosotros. Durante el trayecto hasta el estacionamiento, ninguno de los dos se molestó en hacer algo de conversación. Yo, por timidez, y asumí que su silencio se debía al cansancio. Nos subimos a su auto, uno que nunca había visto debido a que me movía por la ciudad en transporte público y no tenía necesidad de usar el estacionamiento de la agencia. No sé nada de autos, pero puedo decir que se veía costoso. Era de un negro brillante, y hacía juego con su estilo de vida. Me abrió la puerta de adelante, y una vez más me hundí de vergüenza ante su caballerosidad. Me senté en el asiento, sin ser capaz de decir gracias siquiera. Tras cerrar la puerta del copiloto, caminó hasta el otro lado del vehículo, se subió a él y nos despedimos de las horas laborales de esa semana.

Durante el camino, un silencio un poco incómodo nos gobernaba. No sabía si se debía a que no nos conocíamos lo suficiente para tener algo de qué hablar, o si éramos muy diferentes para siquiera intentarlo, pero ninguna palabra fue dicha, excepto cuando preguntó por mi dirección, la cual la murmuré. Era una suerte que tuviera tan buen oído. ¿Acaso había algo en él que no fuera perfecto?

Tras cruzar por las luces de la ciudad, una autopista y muchas calles grises, llegamos a la fachada de mi edificio. Había llegado el momento de despedirme, y ya estaba segura de las palabras que ambos diríamos. Sería una despedida industrial, casi robótica, con un "gracias por traerme", un "no hay de qué", y dos "nos vemos el lunes". Pero lo que no espere fue su despedida con un beso en mi mejilla. A pesar del *shock* y la sangre que subió hasta mi nariz rápidamente, me quedé con mi rutina. Murmuré mi agradecimiento y mi adiós, abrí la puerta de su auto y salí a la calle. Caminé hasta la escalera de mi apartamento, aunque mi cuerpo pedía que corriera. Frenéticamente, busqué la llave de la puerta principal en mi bolso. Y detrás de mí, escuché su voz.

—Me agrada que te hayas quedado hasta tarde, Maggie. Sabes cómo impresionarme.

¿Dónde está esa maldita llave?

—He de decir que sabes cómo llamar mi atención.

Por fin, mi mano sintió el toque de un metal frío y muy familiar. Una vez que obtuve mi vía de escape en la mano, tuve el coraje para voltearme y enfrentar la despedida que aún tenía pendiente. Pero el auto de Alphonse Rieter ya había arrancado y dado la vuelta a la esquina. Dejé escapar primero un suspiro de alivio, luego uno de vergüenza por no haber sabido que responder, y luego un pequeño gritico de euforia por haber sentido los finos labios y el rastro de barba de Alphonse en mi mejilla. Las emociones, de una en una.

Abrí la puerta de mi edificio y subí por el ascensor, aunque tras ese intercambio con el hombre más sexy que conozco en persona tenía la energía para subir los diez pisos por las escaleras. Al entrar al apartamento, lo primero que hice fue encender las luces. Lo segundo, tirar mi bolso y mis tacones sobre una de las sillas blancas de plástico frente a la mesa del comedor. Lo tercero y más importante, tomé mi celular y llamé a David para contarle todo.

—¿Un beso en la mejilla? ¿De veras? —La voz de David se escuchaba llena de sospecha—. ¿Te estás postulando para un puesto en la política, Maggie? Porque las mentiras te están saliendo muy naturales el día de hoy.

—¡Hablo en serio, David! No fue algo mutuo, sino que se acercó hacia mí y todo. —A estas alturas de la conversación, ya me había quitado toda la ropa, y mi atuendo laboral había sido reemplazado por un mono azul oscuro y una camisa rosada de dormir. Estaba acostada en el sofá nuevo que acababa de comprar, con la vista puesta al techo y con el celular pegado a mi oreja—. ¿Qué piensas de ello?

—Pienso que eres una tonta por ilusionarte. Sabes que está casado, corazón —contestó David, pero su nihilismo no era capaz de arruinar mi emoción, y mis pequeñas risas de felicidad fueron contestadas con un suspiro de frustración de su parte—. No puedo creer que haya terminado su noche de tan buen humor después del fiasco de esta mañana.

—Vamos, David. ¿Qué importa si perdemos una buena historia? Al final del día, siempre le vas a caer mejor que a mí. Sabes que Alphonse le tiene más aprecio a los cazadores que a los curtidores.

—Es por eso que tenemos que ir detrás de esta historia. Porque no sólo es buena, Maggie. Es gigantesca. Lo siento en mis entrañas.

Me levanté de mi asiento, y empecé a caminar por el apartamento. Pasé enfrente del televisor adornado con estantes de libros que hacía tiempo que no leía, de la mesa del comedor que estaba de decoración y del sofá donde realmente se cenaba, de la puerta de mi habitación con calcomanías y decoraciones de la persona que era cuando me mude a esta ciudad. Y en todo ese trayecto, que terminó frente a la única ventana de mi apartamento, no dije ni una palabra. David sabía que yo estaba pensando, y sabía que necesitaba decir una cosa más antes de perderme por siempre.

—¿Por qué no trabajamos en esta noticia tú y yo, en nuestro tiempo libre? Podemos ir mañana mismo, si quieres.

—Puedes hacer lo que quieras, David. Trae lo que encuentres a mi escritorio y yo me encargo del resto.

—No me entendiste. —Escuché la respiración de David a

través del teléfono. Era su turno de pensar sus siguientes palabras—. Quiero que vayas conmigo.

—¿Yo? ¿Una cazadora? No lo creo. Eso es lo tuyo, querido amigo, y francamente lo haces muy bien. No me necesitas para ello.

—¡Maggie, por favor!

—¿Por qué me necesitas, de todas formas?

—Por qué si voy sólo detrás de una noticia falsa, será más difícil defenderla cuando la traiga a la oficina. Incluso si se trata de un éxito, pues sabes que todos los premios se los lleva la escritora mientras que al investigador lo arrojan a los lobos.

David me había dado un golpe bajo. Empecé a morderme la mejilla desde adentro de mi boca, pensando en sus palabras. A veces pensaba que debía de resentirme por yo haberme llevado la gloria del escándalo sexual del actor famoso, el mismo que me había puesto en el lado favorable de Alphonse Rieter. Tal vez no era cierto que prefería a los investigadores por encima de los escritores. Y una muy pequeña parte de mi pensaba que simplemente me prefería a mí por encima de los otros. Una pequeña parte egoísta de mí.

—No lo sé, David. Si estuviera usando mi tiempo en la pista que el mismo Alphonse nos dijo que abandonáramos, no se vería bien para ninguno de los dos.

—Pero si encontramos el escándalo sexual del siglo, piensa en que quedará impresionado.

"Me agrada que te hayas quedado hasta tarde, Maggie. Sabes cómo impresionarme". Esas palabras de despedida se habían quedado grabadas en mi cabeza. "Sabes cómo impresionarme". Era cierto de que no tenía oportunidad alguna de estar con alguien como él. No porque fuera mi jefe, no porque estuviera casado, sino porque había un mundo de diferencia que apartaba al de la oficina de arriba con los escritorios de abajo. Pero dentro de mí, no podía negar la parte que fantaseaba y que gritaba a la vez "Lo impresionamos".

—Está bien —dije al fin, sin saber en lo que me estaba metiendo—. Te ayudaré.

2. EL GIMNASIO

Golden Gym era la clase de gimnasio dedicado no al hombre común, sino a círculos un poco más altos. Tenía cuartos llenos de bicicletas, dos piscinas, un *ring* para practicar boxeo y claro, tu sorteo variado con todo tipo de máquinas para cada parte del cuerpo. Y todo esto era tan sólo lo que podía observar desde afuera.

David y yo nos encontrábamos sentados en los asientos de su auto, un pequeño Corolla rojo al que le faltaban unas cuotas antes de pertenecer completamente a su actual dueño. David vestía una camisa deportiva morada y un mono negro, mientras que yo usaba unos *leggings* con un estampado de flores y una camiseta naranja. No mi mejor momento, pero era la única ropa deportiva que poseía. El ejercicio no era mi fuerte, y desde luego no lo practicaba tan constantemente como para comprarme ropa deportiva de verdad.

—Creí que sólo iríamos a entrevistar a algunas personas. ¿De veras tengo que ejercitarme?

—¡Pues claro! Estamos encubiertos —dijo David, encogiéndose de hombros—. Si saben que trabajamos para una revista de chismes, el gimnasio hará lo posible por proteger a sus prestigiosos clientes. Vamos.

Los dos salimos del auto y cruzamos la calle. Al entrar al Golden Gym, David se adelantó hasta la recepción, donde trabajaba un hombre latino de baja estatura, que vestía el uniforme verde y gris del gimnasio. Los dos hablaron por un minuto, y podría jurar que coquetearon un poco. Cuando terminaron de hablar, David regresó a mi lado y dijo:

—Listo. Ya podemos pasar.

—¿Quién era ese?

—¿Hm? Oh, nadie. Sólo un amigo que nos estaba ayudando a entrar por la puerta principal, como si fuéramos gente importante.

—Parece como si ya hubieras entrado por la puerta trasera —dije, y David rió. Caminamos hacia la sala principal de máquinas—. Muy bien, ¿qué es lo que estamos buscando?

—Bueno, no creo que encontremos a nuestra estrella secreta por casualidad. Pero si se trata de un escándalo sexual, busca a las personas más esbeltas que encuentres.

—¿"Esbeltas"?

—Buenotas. Y no te enfoques sólo en mujeres. Nuestra persona importante podría ser como nosotros.

Con "nosotros", David se refería a que podía ser una mujer o gay. Con ese dato en mente, empezó nuestra búsqueda, pero era evidente que las habilidades sociales eran de suma importancia para esta tarea. David arrasó en ese aspecto, y en varias ocasiones pude ver cómo iba a las máquinas de correr a hablar con los clientes, esparciendo confianza allá a dónde iba. En cambio, yo me dirigí a la máquina que parecía una visita al ginecólogo, intentando llamar la atención de uno de los empleados en especial.

Su camisa leía el nombre de Tyler. Tenía el cabello corto y rubio, y una sonrisa capaz de matar a cualquiera. De más está decir que físicamente parecía una estatua griega. No era mi tipo, pero desde luego no sería una mala noche para quien estuviera con él. Sin embargo, numerosas veces intenté llamar su atención, y a pesar de que me atendía con el mejor servicio de Golden Gym, cuando me ponía coqueta con él, parecía volverse distante. En seguida volteaba la vista y buscaba una forma de escapar de la conversación. Adiós autoestima, te extrañaré. Lo que más me llamó la atención fue una mujer de unos cuarenta o cincuenta años, de cabello dorado y piel bronceada, que no apartaba la vista de mí cuando hablaba con Tyler. Extrañada, y con el orgullo herido por haber sido ignorada por aquel espécimen, decidí terminar mi rutina de ejercicio (si es que a esos 10 minutos de llorar sobre una máquina de tortura puedes llamar ejercicio) e ir a bañarme.

Fui hasta los baños, y escondí mis cosas en uno de los *lockers*.

Tomé una de las toallas y una pequeña barra de jabón que una empleada del gimnasio proveía a cada cliente, y me metí en una de las docenas de duchas, puestas en filas paralelas. Puse el agua caliente, y cerré mis ojos, pensando en lo que estaba haciendo. No tenía sentido que yo estuviera allí. No sabía extraer información de extraños sin parecer una acechadora. Y con la gran cantidad de clientes que recibía el gimnasio, era imposible encontrar a un cliente que supiera de alguien famoso que viniera a ejercitarse. Mi mejor apuesta era un empleado como Tyler, pero no quería seguir pensando en que me estaba evitando. Decidí que, al salir de la ducha, intentaría hablar con algunos otros empleados, con la esperanza de que alguno haya visto un rastro de polvo de estrella entrando por las puertas principales... o por la puerta trasera, si no quería ser reconocido.

Mis pensamientos fueron interrumpidos por una mujer que ocupó la ducha al lado de la mía. Callé mi cabeza, como si estuviera pensando en voz tan alta que las demás mujeres podían escucharme. Y a pesar de las decenas de duchas, parecía que sólo estábamos ella y yo en aquella habitación de baldosas verdes y cortinas blancas. La subscripción debía de ser absurdamente cara, sólo para clientes selectos.

—Hey, ¿tienes jabón? —preguntó la mujer de al lado. A juzgar por su voz, debía de ser una señora mayor, o fumar en exceso—. No me fijé que no me lo dieron con la toalla.

Como no pensaba ducharme realmente, le pasé la barra de jabón a la extraña por encima de la pared de baldosas que nos separaba. Sentí el toque de su mano sobre la mía cuando tomó el jabón, y sentí un extraño escalofrío recorrerme la espalda.

—Gracias, querida.
—No... no hay de qué —contesté, con algo de timidez en mi voz.
Nos quedamos en silencio por un buen rato, hasta que ella alzó la voz una vez más.

—Sabes, no creo que llegues a nada con Tyler —dijo, y sentí como mi cuerpo se congelaba. La mujer de al lado debía de ser la misma persona que había estado espiando mis intentos de conseguir información—. No es que sea gay, ni nada por el estilo.

—Yo… —intenté decir, aturdida por el flujo que empezaba a tomar la conversación espontánea.

—Es que está dominado —contestó la mujer, interrumpiéndome—. Por mí. Puedo contártelo, si quieres.

—¿Contarme qué, exactamente? —pregunté, absorbida por la curiosidad.

—Lo que pasó para que evitara a las demás mujeres.

Podría decir que no tuve opción y que me vi forzada a escuchar una historia que no quería, pero eso sería una mentira. Sabía que podía simplemente apagar la ducha, tomar mi toalla y escapar de ahí. Pero la palabra "dominado" había resonado en mí, y mi instinto de reportera me obligó a permanecer con la lluvia de la ducha sobre mi rostro. Sin saberlo, me adentraba a un mundo que desconocía por completo…

"Te contaré una pequeña historia sobre un empleado llamado Tyler. Se podía decir que era tu tipo promedio. Hacía un buen trabajo, nada extraordinario pero se comportaba, llegaba a la hora y se iba temprano. La cuestión con Tyler es que estaba bueno, y lo que era peor, lo sabía. Más de una vez usó su encanto natural para atraer nuevos clientes. Algunas chicas preguntaban por él, incluso si era su primera vez en el Golden Gym. Se podía decir que gozaba de cierta fama por su carisma, de esa clase que haría pensar a cualquiera que se trata de un cretino, ¿sabes? Puedo imaginarlo como el capitán del equipo colegial de fútbol americano, saliendo con la porrista principal de su escuela, haciéndole la vida imposible a todo hombre con una cabeza de tamaño menos que él, y siendo coronado como rey del baile de graduación. La clase de persona que vivió sus años de secundaria como los mejores de su vida, sin darle mucho de que pensar a su futuro. Sin ambiciones deportivas o universitarias, parecía que trabajaría y moriría en el Golden

Gym por siempre.

Y a pesar de ese carisma natural, pensarías que lo aprovecharía para follar con cualquier chica joven que tuviera un buen par de tetas. Incluso si no está tan buena, si la oportunidad se le apareciera en formas de mujer fácil que intentara seducirlo, la aprovecharía. Y sin embargo, tú no tuviste nada de acción, querida. Te preguntarás entonces, ¿qué pasó? La respuesta es simple: Yo lo quebré.

Todo empezó cuando me mudé a esta zona de la ciudad. Mi tercer marido acababa de morir, tenía una herencia gigantesca en mis bolsillos y un terrible hueco en mi corazón. Tenía que buscar con que llenarlo, tanto el que estaba en mi pecho como allá abajo. En el peor de los casos, quería algún estimulo visual para las frías noches, ¿y qué mejor lugar para conseguirlo que en un lugar repleto de jóvenes y esbeltas figuras sudando, usando ropa corta y apretada? Cada quién hace su nido de placeres, y yo encontré el mío.

Claro que la primera persona que noté, estaba entre los empleados. En ese entonces, Tyler no era muy diferente a cómo lo ves ahora. Y todo lo que uno asume de un personaje como este, era cierto. No creo en la reencarnación, pero siento que en otra vida fui una leona, o una tigresa, pues empecé a cazarlo. Mi primer paso fue observarlo. La información es poder, como estoy segura que sabes. Todas las tardes, me sentaba en alguna máquina, simulando que ejercitaba los músculos, pero lo único que realmente se movían eran mis ojos. Observé que Tyler hacía de entrenador personal con algunos clientes, pero nada del otro mundo. A veces hacía rutinas en la piscina con clientes de la tercera edad, y en otras ocasiones ayudaba con rutinas deportivas. Más de una vez vi a una celebridad entre sus clientes, pero yo sólo tenía ojos para él. No fue sino hasta la segunda semana que mi espionaje dio sus frutos. Tras una larga sesión de ejercicios con una chica de rostro sencillo pero senos esculpidos, Tyler empezó a masajearla. Le dijo que se trataba de un masaje de relajación, pero todo era un teatro, una fachada, y la chica también lo sabía. Tenías que haberlo visto en acción, querida.

La chica se acostó en una colchoneta azul, en medio del gimnasio. Tyler se agachó a su lado, y empezó tomando sus pies y dándole vueltas. Lentamente, subió sus manos por sus piernas, masajeando con fuerza, hasta llegar a sus muslos. Es ahí cuando tuve que estar más atenta, pues sus dedos carecían de timidez alguna. Tocaba los muslos de aquella chica como si le pertenecieran, llegando incluso a la tela de su *short* deportivo, uno muy corto, por cierto. Lentamente, y con algo de astucia en sus movimientos, la mano de Tyler se deslizó hasta la vagina de esa chica. Al tocarla, ella levantó la mirada, casi en shock. No se lo esperaba, desde luego, pero tampoco parecía mostrar objeción alguna. Tyler continuó con su masaje en esa zona. El sudor no los detuvo, e incluso me atrevo a decir que sirvió de lubricante. Era una fina tela que separaba el sexo de esa mujer de los dedos gruesos y grandes de Tyler, que masajeaban en círculos, sin detenerse, en un movimiento hipnótico que no sólo la atrapó a ella, sino a mí también. Podías ver como ella estaba a punto de gemir, e incluso empezaba a sentirse avergonzada por lo que estaba ocurriendo en medio de un lugar tan público, con otros atletas pasando a su lado. Avergonzada, o tal vez se sentía muy excitada. Y he de decir que yo también.

En menos de dos días, ocurrió nuevamente. Asistí a una clase de yoga de sólo chicas, en la que mi compañera de la derecha era una rubia despampanante, y ameritaba el uso de esa palabra. Era la clase de chica que, al igual que Tyler, sabía los atributos con los que contaba. Usaba un top naranja que debía de aumentarle el busto y unos *shorts* negros, y a juzgar por la cantidad de maquillaje que tenía sobre su rostro, no había venido a ejercitarse. Y sorpresa, sorpresa, el profesor de esa clase de yoga no era otro más que el galán de turno, Tyler.
La clase siguió su curso normal. Nuestro profesor no hacía las mismas maniobras que los demás. Tan sólo dirigía, y si alguna de nosotras no podía, se acercaba para ayudarnos. Eso

significaba que más de una necesitaba "asistencia". Y claro, Tyler aprovechaba para manosear los mejores atributos femeninos. Entonces, llegó esa posición en la que nos acostamos boca arriba y tenemos que levantar las piernas, y acercarlas lo más que se puede al cuerpo. ¿Sabes cuál es la que te estoy hablando? Bueno, lo importante es que era el turno de la rubia del top naranja en requerir "asistencia".

Tyler se acercó, con un rostro serio que parecía esconder cualquier intención secreta. La rubia permanecía con sus piernas levantadas, con la espalda en el suelo y con la esperanza de recibir algo de acción. En efecto, él le abrió las piernas, tan sólo un poco, y con una lentitud que parecía tentarla, apoyó su cuerpo sobre estas piernas, dejándose caer sobre el cuerpo de la rubia. Las rodillas de ella quedaron a la altura de sus senos, y sus tobillos sobre los hombros de él. Si no estuviera en una clase de yoga, hubiera jurado que estaban intentando el misionero con ropa. Y casi pudo haber pasado por algo normal, de no ser por lo cerca que estaban sus rostros de besarse. La rubia no pudo evitar que se escapase una sonrisa de satisfacción que escondía los temblores en todo su cuerpo. Y la misma expresión de la última chica se repitió en su rostro, cuando sintió algo cerca de su sexo. Por estar tan cerca, pude verlo, y me gustó lo que vi. Era el miembro erecto de Tyler, presionando con gentileza en el sexo de ella. Y para hacerlo más excitante, la tela de ese *short* era igual al de la última chica. Una tela delgada, muy fina, tan sólo una ligera capa de ropa entre una vagina mojada, excitada y temblorosa ante lo que había del otro lado, presionándola, en forma de una cabeza rosada, la punta de lo que parecía ser algo muy, muy grande. Tyler sabía lo que estaba pasando, y aun así se dejó caer un poco más sobre la rubia. Su miembro entró un poco más en la vagina de ella, y por lo profundo que entraba sospeché que ninguno de los dos tenía ropa interior puesta. Tan sólo la tela de un short masculino y uno femenino. La chica echó su cabeza hacia atrás, y se mantuvo pegada al suelo, con la boca abierta y jadeando. Tyler presionaba un poco más, y la chica soltaba lo que debía de ser un orgasmo. El resto de la clase se miraba entre ellos, pensando que debía de tratarse de un gemido de agotamiento, pero yo sabía lo que realmente pasaba. Como de una forma casi legal, Tyler la estaba penetrando con sólo la punta.

Fue entonces cuando él me notó. Mientras se posaba encima de la rubia, volteó la cabeza por un momento, y me observó directamente a los ojos. ¿En qué estaría pensando, me pregunto? Pudo haber sido por el miedo a que yo comentara algo, o puede que de veras estuviera enviciado con la confianza en uno mismo que te da el sexo, pero su respuesta ante mi voyerismo fue muy inesperada. Tyler me guiñó el ojo, y claro, yo le contesté con una sonrisa. Él pensó que se trataba de un coquetismo femenino, pero yo sonreía porque sabía que él me buscaría luego. Él pensaba que me usaría a mí igual que había hecho con las otras chicas, pero él no tenía idea de que sería yo quien lo usaría a él.

El momento llegó al día siguiente. Llegué temprano, en horarios en que nadie nunca debería levantarse de la cama. Como era de esperarse, a pesar de que estaba abierto, el gimnasio estaba casi vacío. Algunos de los pocos que iban a hacer una rutina mañanera lo hacían para evitar las miradas de otros, y claro, yo estaba por una razón no muy diferente. Aun cuando no lo sabía, tenía una fuerte sospecha de que el turno de mañana le tocaba a Tyler. Podría decir que observé la cartelera donde tienen anotados los turnos de cada empleado, o que le pagué a uno de ellos para que me dijera de qué hora a qué hora trabajaba la pobre víctima. Pero siempre tuve una corazonada que se cumplió al pie de la letra, y es que Tyler encajaba con el modelo de persona que había imaginado para él en mi mente. Ya sabes, lo del atleta popular de secundaria que sentía que había fallado en la vida. Y cómo salía temprano del trabajo, deducí que no era alguien que hiciera medio tiempo, pues no tenía otra cosa que hacer. No tenía una universidad a la que ir, una familia a la que cuidar, y desde luego que le debía de gustar pasar las noches entre discotecas. Alguien como él debía de entrenarse por las mañanas para luego pasar una jornada laboral completa entrenando, seduciendo, y en algunos casos follando a sus clientes.

Esa mañana, caminé por la recepción, caminé por la sala de bicicletas, caminé por el ring del boxeo. Caminé, luciendo una camiseta deportiva blanca un tanto transparente que resaltaba mi busto. Mi atuendo más atrevido con mi falda de tenista era una combinación matadora que me había servido en mis varios años de seducir jóvenes incautos. Y me aseguré de que en mi caminar se notara que estaba de cacería. Quería que él me notara, y siguiera con la intención detrás del guiño de la clase de ayer.

No fue sino hasta que llegué a la sala de máquinas, donde había observado la masturbación de la primera chica, que lo encontré en una de las cintas de caminar. Claro que él no caminaba ni trotaba, sino que corría a toda velocidad. No me había visto aún, claro, porque estaba enfocado en su tarea. Eso era lo primero que tenía que cambiar. Caminé, igual a como había caminado por todo el lugar, moviendo mis caderas de un lado a otro, simulando el movimiento seductor e hipnótico de una serpiente cascabel, llamando la atención de mi presa. Me coloqué frente a la caminadora, y dejé que mis brazos se posaran sobre ella, esparciéndose sobre cada fibra de plástico, dejando que mis senos cayeran en los paneles de kilometraje. En seguida, Tyler notó que tenía algo nuevo que ver. Su reacción de sorpresa fue corta, y fácilmente reemplazada por esa sonrisa arrogante que detestaba y que a la vez me excitaba. No conoces esa sonrisa, claro, pues yo me encargué de borrársela.

Sin dejar que detuviera su ejercicio de cardio por mí, pasé un dedo por mi boca, mis labios, y lo moví en dirección sur, pasando por entre mis senos y halando ligeramente la camisa, para que Tyler tuviera una mejor vista de lo que yo poseía. Le dediqué mi mirada, esa que tengo que es perfecta para controlar los instintos primales de los hombres. Y luego, tan sólo me fui. Claro, no podíamos follar ahí mismo. Sé lo mucho que a él le gustan los actos públicos, pero yo quería llevarlo a mi terreno. Quería tener la ventaja.

Simulando que había tenido una mañana de ejercicio muy exhaustiva, me dirigí hacia los baños del gimnasio. Me desnudé por completo en el cuarto con los *lockers*, y no me importó si alguien me veía. Tras guardar mi ropa, caminé hacia la entrada de los baños, donde estaba la puerta doble de madera que daba hacia un pasillo que conectaba con el baño de los hombres y con el resto del gimnasio. Tan sólo me quedé pegada a la puerta, y la abrí un poco. Sólo un poco. Sólo lo suficiente para dejar entrever una mirada de un mundo paradisiaco.

Lo siento si hablo con tanta estima de cómo me veo, querida, pero a pesar de mi edad, sé que tengo lo que se necesita para atraer a los hombres. Y si de algo tengo verdadera estima, no es en cómo me ven, sino en lo que pasa después. En mis habilidades. En mi experiencia.

Tras esperar unos minutos, lo vi. Tyler caminaba por el pasillo, con esa estúpida sonrisa en su rostro, y sudando chorros por todo su cuerpo. Mis acciones lo habían excitado más que su ejercicio de cardio, de eso estaba segura. Iba a entrar al baño de hombres, cuando algo llamó su atención. Se detuvo, y observó en dirección a la puerta de madera entreabierta que daba al baño de mujeres. Ahí, asomaba una cabeza, un rostro, una sonrisa. Entonces, abrí la puerta de golpe, sin que me importasen las consecuencias. Dejé que Tyler viera mi cuerpo desnudo, con las manos sosteniendo la doble puerta y mis caderas levantadas. Le di una sonrisa sugestiva, y tras un momento de contemplación y tensión sexual, cerré la puerta lentamente. Caminé hacia las duchas, y no me creerás cuando digo que fue la ducha que ahora estas usando en la que ocurrió la verdadera rutina de piernas. No te preocupes, ha pasado mucho tiempo, y han lavado esas baldosas en numerosas ocasiones. Pero lo que hicimos en ese entonces… es algo que no puedo comentar".

—¿Qué? —exclamé, en shock—. Después de toda esa historia, ¿no me vas a contar lo que pasó después?

—¿De veras quieres que te cuente como hicimos el amor de tal manera que él no fue capaz de estar con otra mujer? ¿Quieres que te diga que lo intentó, pero que ninguna tenía la misma pasión y conocimiento para hacerle frente? ¿Qué después de mí, ninguna fue suficiente? —La extraña pausó por un momento, y aunque no podía verla, sentí que sonreía atrevidamente—. ¿O acaso quieres saber qué fue lo que hice en esa ducha para que Tyler jamás pudiera estar con otra mujer?

Me quedé en silencio. No sabía qué contestar, o lo que era peor, no sabía si ella tenía razón. No sabía si quería realmente conocer la misma... rutina de ejercicio. Este encuentro había sido extraño, de seguro, pero lo que más me había sorprendido era que yo me había quedado para escuchar una historia que no tenía nada que ver conmigo. Yo no estaba realmente detrás de Tyler, o de mi compañera de duchas. Y sin embargo, había escuchado la historia de un romance de gimnasio de principio a fin... y me había gustado más de la cuenta.

—¿Puedo preguntarte algo? —dije entonces, rompiendo el silencio entre los dos.

—Desde luego, querida. Creo que ya podemos decir que hay algo de confianza entre nosotras, ¿no crees? —contestó la extraña, con una pequeña risa.

—¿Por qué me cuentas esto a mí? No nos conocemos, no tenemos nada que compartir.

Una vez más, quedamos en silencio, con sólo el sonido del agua rebotando sobre las baldosas de cerámica, interrumpiendo los pensamientos de las dos: —No lo sé. Tal vez es porque a mi edad no se tiene muchas amigas, y cuando tienes un trofeo como Tyler en tus manos, quieres hablar de ello con alguien. Y bueno, ¿a qué persona con dos dedos de frente puestos en su vagina no le gusta escuchar una buena historia de sexo?

Bajé la mirada, y noté que sin darme cuenta, mis manos estaban muy cercanas a mi sexo. Las subí con rapidez, como si hubiera estado tocando algo asqueroso sin darme cuenta. Enrojecí de vergüenza. ¿Acaso ella sabía que me había estado tocando mientras la escuchaba?

—Lo siento por darte labios vaginales azules, pero tengo que irme —dijo. Pude escuchar cómo ella cerraba el agua de su ducha, y pasaba frente a mi cortina de baño—. Deberías salir, querida. Tanto tiempo con el agua sobre ti y te arrugarás como una pasa.

Y así, aquella mujer sin nombre desapareció de mi vida, pero una oración se mantuvo en mi cabeza. "¿O acaso quieres saber que hice en esa ducha para que Tyler jamás pudiera estar con otra mujer?". Por un fugaz momento que en seguida quité de mi cabeza, me imaginé que Alphonse Rieter y yo estábamos en la ducha juntos. Fugaz, pues en seguida me avergoncé por tener esos pensamientos, y los quité de mi cabeza. A pesar de lo que sentía por él, física o emocionalmente, era una mujer profesional seria, y no podía... no podía...No. No podía.

Salí de la ducha, y creo haberla apagado, pero estaba con la mente en otro lado, y realmente no me importaba el gasto de agua de una empresa ajena a mí en ese momento. Me sequé y me vestí rápidamente. Al salir por el pasillo que conectaba a los baños de hombres y mujeres no pude evitar imaginarme a Tyler y a la extraña, coqueteando con sonrisas y miradas. Me pregunté con cuantas mujeres había estado Tyler, o cualquier otro empleado de Golden Gym. Y lo que era más, ese ni siquiera era el escándalo sexual que habíamos ido a buscar.
Al salir a la sala principal, caminé hacia la recepción, esperando los resultados de David. Al cabo de unos momentos que pasé leyendo una de las revistas de salud del 2007 (o aparentando leer los artículos, viendo las fotos e intentando despejar mi mente de lo que había ocurrido esa mañana), mi compañero apareció.

—¡Hola, espía! ¿Cómo te fue en tu extracción de

información?

—No muy bien. No es mi campo de trabajo, ¿sabes?

Decidí omitir mi encuentro con la extraña del baño y su historia de dominación sexual. Por ahora, sólo quería irme a casa, cambiarme a un atuendo más cómodo, ver series de televisión y comer helado hasta morir. Después de todo, ya había hecho 10 minutos de ejercicio, y eso eran 10 minutos más de lo que me hubiera gustado hacer.

—Conseguí algo de información. Al parecer, hay alguien muy importante que hace de todo menos cardio en este gimnasio —dijo David. Parecía emocionado con su descubrimiento—. Uno de los empleados, y me lo confirmó un cliente, me dijo que como tiene un perro, trota con él en las mañanas.

—¿Y? ¿Qué significa eso?

—¿No lo ves? —preguntó David. Al no obtener respuesta, volteó los ojos antes de contestarme—. Significa que tiene un perro, y que trota en la calle. No sólo eso, sino que pasa frente al gimnasio cuando lo hace. Si tiene un perro, tiene que tener un veterinario cerca.

Empecé a entender el razonamiento detrás de los pequeños detalles que me traía David y, francamente, estaba impresionada por su habilidad de indagar y conseguir cada vez más de las charlas pequeñas.

—Sí, tienes razón en poner esa cara de tonta sorprendida —dijo David. Puso sus manos a los lados de su cintura, en una pose de determinación—. Así que es aquí cuando nos separamos. Tú irás a preguntar en veterinarios, gimnasios para mascotas, peluquerías de perros, tiendas de tortugas bebés, lo que sea. Yo visitaré parques, y me quedaré un rato por el gimnasio. Tal vez consiga que uno de los empleados me llame si ve que entra alguien importante.

—Oh, vamos. ¿De veras tengo que ir a todos estos lados? —dije, pensando en que la mayor parte de mi sábado había desaparecido en complacer a David—. Tengo cosas que hacer, ¿sabes?

—¿Cosas como qué, girasol?

"Mierda" fue lo que pensé en ese momento. No esperaba que me preguntara. Al no obtener una respuesta en seguida, David me miró con decepción, mientras que yo bajaba la cabeza.

—Está bien, está bien —respondí con un suspiro—. Me encargaré de averiguar sobre su mascota.

3. LA VETERINARIA

¿Existen peores formas de pasar un sábado? No, definitivamente no. Ayudar a David en una infructífera búsqueda por una noticia que no existe, hacer ejercicio (que ya de por sí es terrible), y extrañas cuarentonas que se sientan a hablar con una a través de la ducha porque se sienten solas. Y las cosas que me dijo... de hecho, no estaban tan mal. De alguna forma que me avergüenza admitir, el saber de los encuentros sexuales de Tyler me hizo sentir mucho mejor, o tal vez era el menor de los males comparados con el resto de mi día.

Tras almorzar en un lugar de comida rápida y grasosa (y es que hay que balancear el ejercicio con la comida poco saludable), en el que pase más tiempo que en el gimnasio, estuve recorriendo tiendas de mascotas, preguntando a sus empleados por celebridades o gente importante que hubiera pasado por su local. La gran mayoría tan sólo me respondía encogiéndose de hombros, y su desconocer parecía sincero. Algunos me miraban como si estuviera loca, y tenían razón para ello. ¿Quién busca famosos en una tienda de mascotas?

Taché todas las tiendas cercanas de la zona, y siento nuevamente de que esto era una pérdida de tiempo, me sentí tentada a irme a mi casa y luego llamar a David para decirle que sí había buscado en todos lados. Pero estoy condenada a ser una buena amiga, así que decidí buscar por algunos veterinarios de la zona. Lo que pasó en el segundo que visité fue de lo más curioso...

El local tenía como nombre un juego de palabras que no recuerdo, algo como "Mas cotas, menos enfermedades", o algo así. Era pequeño, comparado al primero que fui. El tejado era un cuadrado de cemento rojo, y las paredes tenían la estética de un búnker militar. Entré por una puerta automática, y pasé por un pequeño pasillo lleno de rejas a los lados que hacían de celdas para todo tipo de perros. Lo más juguetones y lindos estaban todos juntos, separados de los cachorros y de algunos perros grandes y feroces que debían de ser los más problemáticos. Si no estuviera tan cansada por el ritmo de ese día, le hubiera hecho caras a los cachorros y les hubiera hablado con voz de bebé. Sí, soy una de esas personas.

Tras pasar por el pasillo y una segunda puerta automática, llegué a una pequeña sala de espera alfombrada en colores azules desteñidos, probablemente por la cantidad de veces que las queridas mascotas habían hecho sus necesidades en el suelo de la recepción. En las paredes colgaban pósters motivacionales de perros, los cuales me recordaban a las decoraciones en el escritorio de Pamela Jones. Dios, como odio a Pamela.

Detrás de un escritorio, había un joven delgado y algo pálido, con el cabello desordenado y lleno de pelo de otros animales. No debía de tener más de diecinueve años. Parecía ser el único empleado, a juzgar por el uniforme vino tinto, así que en seguida pensé que esto sería algo rápido. Entrar, recibir una respuesta negativa, e irme.

—Buenos días. Tengo una pregunta extraña que hacer, así que recibiré mi respuesta y seguiré con mi camino —dije en seguida. Normalmente, me hubiera acercado apenada, y así había sido en el primer local en el que entré. Pero estaba cansada y con ganas de irme a mi casa, y 10 minutos de ejercicio son suficiente agotamiento para quitar lo introvertido en cualquiera—. ¿Por casualidad conoces a alguna persona importante que traiga a su mascota a este lugar?

Sin embargo, la encogida de hombros o la negación con la cabeza que tanto esperaba del empleado nunca llegó. En su lugar, una mirada de terror parecía haber invadido su rostro, y palideció aún más. Algo había en la palabra "importante" que lo había activado.

—¡Sa… sabía que tarde o temprano alguien vendría a preguntar por ello! —contestó el empleado, y empezó a jugar con sus manos nerviosamente—. Por favor, señora Macklemore, no quiero problemas. Este trabajo significa mucho para mí.

"¿Macklemore?" pensé en aquel momento. Era posible que me hubiera confundido con alguien más, y eso podía funcionar para mi beneficio. No estaba exactamente vestida para intimidar, con mi camisa deportiva naranja y mi estampado de flores en los *leggings*, pero debía ser por eso que aquel chico me había confundido con alguien más. No sólo eso, sino que resultaba que sí había alguien importante llevando a su mascota a este veterinario en específico. Sonreí con calma, intentando adueñarme de este nuevo personaje, con esperanza de saber más sobre este misterio.

—Tranquilo, chico. No estás en problemas. Si me cuentas lo que ocurrió, te daré mi palabra de que conservarás el trabajo —mentí. Pensé en decir "no te despediré", pero no sabía que tanto poder tenía esta "Macklemore".

—Es que… me avergüenza contárselo a usted, señora Macklemore.

—Por favor, llámame… Sandra —dije, cansada de escuchar "señora Macklemore" en cada ocasión, pero en seguida me arrepentí de darme un nuevo nombre.

—¿Sandra? Pensé… pensé que su nombre era Alejandra. Eso nos había dicho el señor Macklemore.

—Alejandra Sandra Macklemore —contesté con una incómoda sonrisa. Era la combinación de nombres más falsa del mundo, pero tenía que serle fiel a mi mentira. Decidí retomar el control de la conversación—. Ahora, dime por qué te apena contarme. Estoy seguro que tú no tuviste nada que ver.

—Es que… se trata de algo… para adultos.

Mientras que el joven se retorcía de vergüenza por las palabras pronunciadas, automáticamente pensé "Oh, sí", y luego me pregunté por qué había pensado en ello. ¿Era porque había encontrado un posible escándalo sexual? ¿O era porque dentro de una parte de mí, la historia del gimnasio me había dejado con ganas de escuchar más?

—No soy una extraña al sexo, chico —dije, a pesar de ser una completa extraña en temas de interacción íntima—. Puedes contarme sin pena.

El empleado se quedó inmóvil por un momento, pensando en que hacer. Finalmente, cerró los ojos, dejó escapar un suspiro y empezó a contarme los eventos que habían ocurrido en la veterinaria.

"Su nombre es Cristy. No estoy seguro si es diminutivo de algo, o si ese es su nombre de verdad. Cuando yo no estoy, está ella, y viceversa. Nunca hemos interactuado mucho, así que no sé tanto de su vida, pues sólo nos vemos por un breve momento, a partir de la una de la tarde, cuando ella llega y me reemplaza. Nos saludamos siempre, ella sonríe, y yo me voy corriendo de ahí. Hay algo en ella que me intimida, y creo que debe ser su belleza, ¿sabes? Hay chicas que son tan hermosas que los que son como yo saben que jamás podríamos estar cerca de alguien así. Y a pesar de ello, no podemos dejar toda tensión de lado para ser amigos, pues cada vez que se aparece con su cola de caballo dorada, sus pecas debajo de sus ojos y su hermoso cabello rojizo…

Disculpe, señora Mackelmore... Digo, Sandra. No es eso lo que usted quiere escuchar, pero creo que es importante para la historia decir que Cristy es una chica hermosa, al menos de rostro. A pesar de ser delgada, no tiene… grandes… um… bueno, usted se hace la idea, pero creo que es porque aún es joven. Creo que tenemos la misma edad, pero nunca he tenido el valor para preguntárselo.

Supongo que todo empezó un viernes en que Cristy llegó más temprano de lo usual, a las doce y media. Como el señor Mackelmore había estado todo el día supervisándome, no podía dejarle la recepción a Cristy y simplemente irme a mi casa. Al menos, no por media hora. Y fue en esa media hora que llegó el hombre del traje. Si supiera su nombre se lo diría, Sandra, pero sólo sé que era un hombre importante. Si cómo vestía o el auto en el que llegó no eran suficientes, el pequeño grito de emoción que soltó Cristy cuando lo vio me hizo pensar que se trataba de alguien famoso. Su rostro parecía hecho para las películas o la televisión, así que asumí que se trataba de un actor famoso.

Sí me acuerdo de su mascota, un Golden Retriever llamado Billy, tan juguetón como cualquiera de su raza. Por alguna razón, las personas felices o exitosas siempre parecen traer a este tipo de perros. Recuerdo que se acercó hasta la recepción con su mascota, y se acercó a hablar con Cristy para pedir un chequeo médico de Billy, sólo algo rutinario. Nunca me dirigió la palabra, excepto para entregarme la correa de Billy. Durante todo el tiempo que estuvo aquí, no hizo más que coquetear con Cristy, a pesar de llevarle al menos unos diez años. Y claro, ella no se negaba a recibir los intentos de seducción de alguien importante. Por hermosa que fuera Cristy por fuera, aún tiene la mente de una niña, y el dinero la impresiona fácilmente. Y claro, aquel hombre era bien parecido. Estoy seguro que va al gimnasio.

Disculpa, Sandra, estoy hablando de más otra vez. Continuando con la historia, la persona importante dijo que estaría el próximo jueves a la misma hora, pero Cristy le pidió que viniera más tarde, a la una y media de la tarde. Se despidieron con sonrisas y miradas que… que siendo honesto, envidio un poco. Desearía poder tener la misma confianza que tienen ellos dos.

En fin, la semana pasó, y pronto me tocaría estudiar para los exámenes de admisión en las diferentes universidades del estado. Quise aprovechar y adelantar, así que durante toda la semana, traje mis libros de estudio al trabajo, y cualquier rato en que no estuviera haciendo nada lo aprovechaba para revisarlos un poco. Creo que al señor Mackelmore no le gustó eso.

Llegó el jueves, y nuevamente Cristy llegó temprano, lo cual era inusual que ocurriera dos veces en un mismo mes. Pero esta vez, estaba más arreglada de lo normal. Tenía un sombreado púrpura sobre sus ojos, y una gargantilla de tela alrededor de su cuello. Y su cabello no sólo estaba amarrado como cola de caballo, sino que estaba cuidadosamente trenzado y perfumado. Era como si fuera a verse con alguien más tarde, pero yo supuse que tan sólo quería verse bien para cuando llegara la celebridad. Si pudiera quitarse el uniforme de trabajo lo hubiera hecho, pero tuvo que conformarse con los pantalones azul oscuro y la camisa vino tinto.

Con mi reemplazo en la recepción, decidí salir temprano. Me despedí rápidamente de Cristy, como era usual, tomé mis cosas y salí de la veterinaria. No fue sino hasta mitad de camino que, sentado en uno de los asientos del autobús que me di cuenta de que había olvidado los libros de estudio. Pensé en que si uno de los perros se los comía, no habría forma de explicarles eso a los profesores sin ser irónicos. Apenas tuve la oportunidad, me bajé del autobús y me regresé al trabajo. Recuerdo haber sentido una gran presión en mi pecho a medida que me acercaba a la veterinaria, pues sentía que iba a irrumpir en la interacción de Cristy con su amada celebridad, y me odiaría por ello. No quería que me odiara, así que tomé una nota mental de entrar y salir tan rápido como fuera posible.

Pero al entrar a la recepción, me di cuenta de que la sala estaba vacía. No estaba Cristy en su puesto de trabajo, como era lo normal. No sólo eso, sino que había un pequeño cartel sobre el escritorio que leía "vuelvo en una hora". Era inusual, considerando que había dejado las puertas de la veterinaria sin llave. Y lo que más me llamó la atención fue que escuché los ladridos de perros, viniendo de una de las salas donde guardábamos a los casos especiales, más allá de la recepción. Ladraban cómo si algo los estuviera enloqueciendo, y mi amor por esos animales me hizo querer investigar más.

Me acerqué a la sala de donde provenían los ruidos, y a pesar de que se opacaba con los ladridos de los perros, pude escuchar unos gemidos masculinos y femeninos. La puerta de la sala estaba entreabierta, lo suficiente para empujarla un poco y observar a través de la abertura sin que se dieran cuenta. Lo que vi a continuación… quedó grabado en mi memoria.

Si de veras quiere que lo cuente con detalle, así lo haré, pero me avergüenza hacerlo. Cristy... estaba completamente desnuda. Su piel era pálida como la nieve, con algunas pecas que sólo hacían que fuera más hermosa. Estaba de rodillas, con su torso y sus brazos apoyados en una de las jaulas para animales. Pude ver como sus senos se presionaban contra la caja de plástico, haciendo que se vieran más grandes de lo que eran. Su rostro estaba completamente rojo, como si hubiera estado haciendo ejercicio, y parecía que su gargantilla separaba la diferencia de colores entre su cuello y el resto de su cuerpo. Su lengua estaba afuera, pues jadeaba de placer igual que las mascotas que cuidaba. Sus ojos casi siempre estaban cerrados, pero noté que a veces los abría y los volteaba hacia arriba, como si algo tan placentero la hiciera perder el control sobre ella misma. Su cabello trenzado estaba levantado, y una mano la agarraba fuertemente de la cola.

Abrí un poco más la puerta, y observé al hombre que la... la estaba penetrando. De la cintura para abajo estaba desnudo, mientras que arriba usaba una camisa y una chaqueta, abiertas para ver su abdomen marcado. Mientras su mano la halaba del cabello, la otra apretaba su culo con fuerza, como para mantenerla en posición. Y es que cada vez que cargaba contra ella, la empujaba con fuerza, en lenta sucesión como si fueran latidos del corazón. Cada latido, una cogida. La empujaba con más y más fuerza, entrando con mayor profundidad cada vez. Sus gemidos eran opacados por los gritos agudos de Cristy, la cual parecía no importarle que alguien la escuchara. La empujaba contra la jaula, y el animal continuaba ladrando por la conmoción, pero ninguno de los dos podía detenerse.

En ese momento, quedé en un trance. No podía dejar de observarlos. La jadeando y hermosa Cristy, llena de placer, era la visión que siempre había querido. Empecé a fantasear que era el hombre del traje, ahora desnudo, quien ahora la tomaba de los brazos con fuerza para penetrarla con mayor profundidad. Podía sentir como todo su cuerpo inferior se estiraba para poderla tocar a fondo, y Cristy arqueaba la espalda cuando lo hacía y dejaba escapar un grito aún más largo. Entonces, los lentos latidos del corazón se detuvieron, y fueron reemplazados por una ráfaga de penetraciones. Pude ver como Cristy perdía el aliento y la observaba impactada, como si no esperara aquel nuevo impulso. Pero él la domino. Volteó su rostro y lo pegó contra la jaula. Casi salí a ayudarla en ese momento, pero me di cuenta que Cristy disfrutaba de la violencia con que la trataban. Mientras su mejilla tocaba el frío plástico, dejaba entrever una expresión atrevida, moviendo sus cejas y sacando su lengua.

'Voy a acabar', escuché que dijo él. En seguida, se separó de ella, y Cristy supo lo que tenía que hacer. Con una jauría de ladridos que la apoyaban, ella se volteó y se puso de rodillas, esperando el chorro de esperma en su rostro. Pero el hombre no iba a hacer sólo eso. Tomó su gran miembro, y he de decir que en todas las películas pornográficas que he visto jamás he visto una tan grande y grueso a la vez, con venas y todo. Se erigía hacia arriba, con una larga curvatura, como un monumento a la hombría. Y en lugar de acabar en su rostro, tan sólo tomó a Cristy de la trenza con la mano que tenía libre, y metió todo el tamaño completo en la boca de ella. Aunque no lo esperaba, Cristy hizo su mejor esfuerzo por no rechazar el miembro que ahora estaba en su garganta. Si antes estaba roja, ahora parecía un tomate. Se estaba ahogando, y sus manos intentaban separar su boca de él. Hacía sonidos como si pidiera ayuda, pero estaban apagados por aquello que tanto deseaba y que ahora no dejaba entrar aire por entre sus labios rosados. Era el momento que estaba buscando para salir y ayudarla, y en cambio… yo no podía dejar de tocarme. Ver como torturaban a Cristy de esa manera me empezó a excitar de una manera que no puedo explicar. Ya no sólo era fantasear sobre ser el alto, guapo y adinerado famoso, sino ver como Cristy se ahogaba en semen, y verla obligarse a tragarse todo tan rápido como pudiera.

Al final, cuando se separaron, Cristy cayó al suelo, sosteniéndose sobre sus manos y respirando con fuerza. Había estado a punto de asfixiarse. El hombre murmuró unas disculpas, pero Cristy no pareció escucharlas. Al principio parecía desorientada, gateando un poco de un lado a otro, pero tras recomponerse, le dirigió una sonrisa a la celebridad. Creo que en ese momento, ella había descubierto un fetiche que no sabía que tenía".

—¿Y qué ocurrió después? —pregunté, esperando que me diera un detalle que me permitiera continuar con mi búsqueda.

—Pues, yo huí antes de que alguno de ellos me viera. Le envié un mensaje a su esposo de lo que había ocurrido, y bueno, dijo que usted vendría a averiguar qué había ocurrido con exactitud en su veterinaria. —El joven empleado parecía avergonzado por lo que tuvo que contarme, pero a la vez había un rastro de alivio en su rostro—. Creo que Cristy renunció antes de que pudieran despedirla. Ahora trabaja en un lugar de masajes, creo.

—¿En cuál, exactamente?

—¿Por qué quisiera saber eso? —preguntó el empleado, alzando una ceja. Parecía que después de contar su historia, perdía sus nervios poco a poco.

—Escucha, eso es mi asunto. Si quieres conservar tu trabajo, chico, te aconsejo que no te entrometas o mi esposo sabrá que te estabas tocando mientras espiabas a esos dos en esa "escenita".

"¡Oh Dios! ¿Acabo de decir eso?" pensé, impactada en las palabras que habían salido de mi boca con tanta naturalidad. El empleado parecía tan sorprendido como yo, y por un momento, permanecimos en la tensión del silencio, observándonos mutuamente. Y no sé cómo, pero mantuve mi posición y mi rostro superior, y el empleado finalmente se quebró, bajando la cabeza con vergüenza.

—Le... le anotaré la dirección —dijo, tomando un bolígrafo y una nota adhesiva amarilla de un montón sobre su escritorio—. Por favor, no me menciones, si puedes.

—Muchas gracias. Le comentaré lo ocurrido a mi esposo y... veremos cuál es nuestro veredicto —dije, alargando las palabras, con la esperanza de que se viera elegante y no como si estuviera mintiendo—. He de decir que una vez que llegaste a lo bueno, no dejaste ningún detalle por fuera, como si te gustara contar esta clase de cosas.

El chico primero se sonrojó y luego murmuró una despedida. Era evidente que quería que esa situación llegase a su fin, y yo me sentía feliz por complacerlo. Tomé la dirección del spa, y me dispuse a salir de la veterinaria, pero me detuve frente a la puerta automática. Había algo de la historia que aún me molestaba, y era la pasión que el chico sentía por esta Cristy. Me volteé y caminé de vuelta hacia el escritorio de la recepción. Al ver que regresaba, el chico tomó aire, como si esperaba un nuevo golpe a su orgullo.

—Hay algo que quiero saber antes de irme. Digo, es evidente que la amabas, o al menos tenías sentimientos fuertes por ella —dije, y esperé a que él confirmara mi respuesta. Apenas lo vi asentir lentamente, continué—. Si tanto significaba para ti, ¿por qué delatarla? ¿Por qué alejarla de ti, y hacer que perdiera el trabajo?

El chico me miró directamente a los ojos, como si hubiera perdido todo rastro de nervios o confianza. Tomó aire, y me contestó sin titubear esta vez.

—No lo sé, pero tal vez no podía estar trabajando con ella después de eso. No porque me hubiera roto el corazón, pues aunque me dolía verla con otro, sé que no había nada entre nosotros realmente. Pero así como ella había encontrado su fetiche al convertirse en un juguete sexual y que se la follaran tan violentamente, yo había fantaseado en que la ahogaba con mi miembro. Yo había encontrado mi fetiche de maltratarla, y ella el de ser maltratada. Hubiera sido una receta para el desastre, ¿no crees?

4. EL HOTEL

Me había vuelto un torbellino de emociones, y no sabía con cual lidiar primero. Estaba sorprendida, tal vez un poco asustada, de lo que era capaz. No sabía que tenía talento para perseguir rumores y encontrar noticias, o si tan sólo había tenido suerte. Eso me llevaba a la segunda emoción que sentía, y era una mezcla de descontrolada excitación y euforia por haber encontrado algo después de todo. ¡Margaret había salido de su zona de confort y había conseguido...! ¿Qué había conseguido? ¿Dos historias explícitas y sexuales? Entonces, me entraba el pánico del haber tenido que mentir, cosa que nunca se me había dado bien. Mi pecho sentía una gran presión, y me sudaban las manos y el cuerpo. "Seguro es por el ejercicio", pensé, y decidí regresar a mi casa para tomarme un merecido descanso, y poder tratar con los descubrimientos del día de hoy.

Como David era el único con auto, tuve que caminar de regreso. No quise llamarlo aún para que me buscara, pues tendría que contarle todo inmediatamente. Además, si ya había hecho 10 minutos de ejercicio y varias caminatas a diferentes tiendas de mascotas, ¿por qué no ir la extra milla para el regreso a casa?

Durante mi caminata, me sentí... revitalizada. Sé que es una palabra rebuscada, pero de repente no estaba tan cansada o acalorada. De repente, era un hermoso día, y disfrutaba estar en la calle, entre las personas, con el sol brillando sobre mí. Y cuando pensaba en las cosas que había escuchado el día de hoy, sonreía aún más.

Al llegar a mi apartamento, hice lo que cualquier persona sensata haría. Me desnudé por completo, me di un segundo baño (esta vez uno de verdad), me puse las ropas más cómodas que tengo y me acosté sobre mi cama doble. Observé un rato el tejado y las paredes de colores pastel de limón, mi colección de novelas románticas de época, mi pequeño armario con un adjetivo que nunca debería acompañar a la palabra "armario", y la mesa de noche que había comprado en el barrio chino, sobre la que residía una lámpara de escritorio y mi reproductor de música. Pensé en todas estas cosas, buscando algo con lo que distraer mi mente, pero no podía sino pensar en los eventos del día de hoy. Y por alguna extraña razón, me sentía más atraída por las historias sexuales que había escuchado que por la pista que había encontrado.

Aunque hubiera preferido contarle la noticia a David en la noche, decidí hacerlo de una vez para ver si algo me distraía de aquellos pensamientos de mi cabeza. Tomé mi celular y le escribí un mensaje de texto que decía "Conseguí algo. Te cuento luego", sabiendo que en menos de media hora me estaría llamando para saberlo todo sobre el día de hoy, a pesar de que odiara las llamadas. No le tomó sino dos minutos.

—Querida, por favor dime que tienes algo para mí. He estado muriendo de calor en los parques, buscando dueños de perros.

No dije nada por un momento, y dejé soltar una risita para tentar a David sobre el secreto que guardaba.

—Oh, esto tiene que ser bueno.

—Fui a una veterinaria donde nuestra celebridad secreta lleva a su mascota. Un Golden Retriever llamado Billy —tomé una pausa, en la que pude notar la confusión en el respirar de David. Era evidente que esperaba un poco más, pero no lo decepcionaría—. Además, al parecer una de las chicas que trabaja allí tuvo... intimidad con él. Y por lo que entendí, fue violento y pornográfico.

—¿Hablaste con ella? ¿Nadie sabía quién era la celebridad? —La voz de David sonaba como la de uno de los perros de la veterinaria, buscando desesperadamente algo de atención.

—No, hablé con el único empleado que había, y él dijo que si era una celebridad, él no la reconoció. La chica, por otro lado, creo que ya no trabaja allí.

—Por favor, dime que tomaste el número o la dirección

donde está trabajando ahorita.

Dejé escapar un suspiro de derrota, sólo para divertirme un rato con David. Justo cuando empezó a hacer sus sonidos de frustración, lo detuve con unas palabras y una risa: —¡Claro que sí!

Pero David no contestó inmediatamente. No se unió a mi risa, y por un momento pensé que se había caído la llamada. Me incorporé en mi asiento, ya un poco preocupada por la ausencia repentina de David. Pero entonces, contestó con una voz seria y casi solemne, como si lo que tuviera que decir fuera de gran importancia.

—Vístete con tu mejor atuendo de salida. Hoy saldremos a celebrar, y quiero que conozcas a un par de amigas mías. Te busco en dos horas.

—Espera, ¿vamos a salir? David, sabes que no soy una fanática de las noches de… —Pero David ya había trancado la llamada, dejándome con el celular en las manos y una expresión estúpida en mi rostro.

El lugar al que fuimos esa noche no era el que esperaba. Como era David, pensé que terminaríamos en una discoteca, en algún lugar sin muchas inhibiciones. Pero desde luego, no esperaba un bar, y menos uno tan masculino como ese. Incluso sentí que mi vestido negro y corto desentonaba con el resto de la clientela. David había dicho que me veía fabulosa, pero la verdad es que sólo había usado ese vestido en dos ocasiones, ya que no tenía muchas razones para usarlo. En cambio, la camisa manga larga morada y el chaleco y pantalones de colores oscuros hacían que David le diera un nuevo significado a la palabra "fabuloso".

El bar se llamaba "Lirio", aunque el nombre no iba con el lugar. Todo parecía estar hecho de madera. Los suelos, las paredes, las mesas circulares, la tradicional barra… parecía como si pidieran un incendio a gritos. Los clientes eran en su mayoría hombres, con algunas excepciones. Detrás de la barra había un hombre que debía de ser de Europa Oriental, con una tez ruda y cabello grisáceo. Según me había contado David, los demás lo llamaban "El Camarada".

Nos encontrábamos sentados en una de las mesas circulares. Además de David y yo, había venido una amiga de mi compañero de trabajo. Una amiga de la infancia, según me dijo en el auto. Su nombre era Katerina. Era una morena alta y de curvas matadoras acentuadas por su falda negra y pegada, que combinaba perfectamente con su chaqueta de cuero y su camisa de rayas. Eso, o era una de esas chicas tan deslumbrantes físicamente que podía hacer que cualquier atuendo funcionara.

A pesar de que me sentía intimada por la presencia de alguien que no conocía realmente, resultó que Katerina era muy amable y graciosa, y en seguida me hizo sentir como si fuéramos amigas. Hablamos de tonterías sin importancia por un rato, hasta que llegó Jenny, una camarera rubia y muy musculosa que cargaba con una bandeja sobre la que reposaban tres vasos con vodka.

—Ah, he aquí la razón por la cual vengo a este sitio —dijo David mientras tomaba un trago de su vaso—. Si quieres buen vodka, ve a donde los rusos. Gracias, Jenny.

—No hay de qué —contestó con una sonrisa—. Aunque esa es la respuesta de un borracho.

—Prefiero considerarme un connoisseur de la buena vida —contestó David. Tomó un segundo sorbo de su trago y luego se dirigió a mí—. Entonces, Maggie, ¿Por qué no nos cuentas un poco de la historia erótica que escuchaste hoy?

—¿Qué? —dije a duras penas, riendo por los nervios.

—Vamos, me dijiste que te habías enterado de un cuento algo sexual sobre una de las empleadas de la veterinaria.

—¡Oh, amo los chismes laborales! —dijo Katerina de repente—. Por favor, deléitanos con lo que escuchaste hoy.

—Yo… digo, no fue… no realmente…

—Suena divertido —dijo Jenny, interrumpiéndome.

Empezó a arremangarse su camisa, dejando entrever lo fuerte que era. Tomó un asiendo de una mesa cercana, y se sentó con el respaldar frente a ella, apoyando los brazos sobre él—. Les propongo algo: si me gusta lo que escucho, les regalo las bebidas.

"Maldita sea" pensé. Ahora me sentía obligada a contarles, o mis dos compañeros de mesa estarían decepcionados de mí. Y no contaba con que David fuera tanto a Lirio que la camarera tuviera la confianza de sentarse en su mesa. Tanto David como Katerina me observaban con los ojos abiertos, emocionados por la historia, mientras que Jenny tenía una mirada un tanto malvada, como si supiera lo tímida que era y le gustara torturarme.

Tomé una bocanada de aire, y les relaté todo lo ocurrido en la veterinaria. A medida que avanzaba la historia, y gracias a las reacciones de alegría de mis oyentes y el valor líquido que era el vodka, empecé a tomar confianza. Tanto fue así, que me atreví a contar lo que había ocurrido en las duchas del gimnasio esa misma mañana.

—¡Eso no me lo habías contado! —dijo David. Su rostro había enrojecido por el vodka y las risas con las que se atragantaba—. ¿Todo eso pasó esta mañana?

—Así es. Dos veces en un día —dije, riéndome yo también—. ¿Quién lo diría?

Jenny empezó a aplaudir, y David y Katerina se le terminaron uniendo. La camarera se levantó de su asiento, tomando la bandeja que había dejado en la mesa de al lado.

—Me ha impresionado, señorita…

—Maggie —contesté.

—Maggie… —repitió Jenny con una sonrisa—. Se han ganado sus tragos. Y por dos historias en un día, les daré una segunda ronda. ¿Por qué no?

—Gracias, Jenny. —dijo Katerina, alzando su vaso—. Eres una noble contendiente.

—Y si se quedan hasta tarde, después de mi turno, prometo contarles una verdadera historia de sexo laboral.

40

David y Katerina hicieron una especie de "Uhh", mientras que Jenny regresaba a su trabajo. Al parecer, a El Camarada no le importaba que Jenny interactuara por tanto tiempo con los clientes. A decir verdad, y a juzgar por su rostro de piedra, no debía de haber muchas cosas que lo sacaran de aquel estado de inmutación.

—Vaya, ¿quién diría que hay tanto sexo a escondidas en lugares de trabajo? —comentó David.

—Oh, no tienes ni idea —respondió Katerina. Dio un gran sorbo de su vaso de vodka, hasta dejarlo casi vacío—. Si no les importa, seguiré yo, aunque he de decir que será difícil después de los dos cuentos de nuestra amiga Maggie.

Me sonrojé un poco, pero no podía evitar reír también. Son los extraños efectos que el alcohol tiene en mí.

—¿Con qué nos vas a entretener esta noche, Katerina? —dijo David.

—Con una historia sexual que, a diferencia de las contadas esta noche… me incluye —contestó Katerina, y enseguida nos dedicó una mirada atrevida a la que David y yo contestamos con un "Uhhh".

"Supongo que tengo que empezar por decir donde trabajo, para que la señorita Maggie este al día con esta historia. Siendo negra y de padres franceses, doy una imagen de mujer exótica que habla tres idiomas, cuando apenas puedo lidiar con el español. Con esas cualidades, era imposible que no me contrataran cuando apliqué para el puesto de recepcionista en el Hotel Nuove. En ese entonces, claro, iban por temáticas diferentes cada mes, como una especie de gancho para atraer más turistas. Apenas mi jefe me vio en la entrevista de trabajo, la idea le vino a la cabeza. Mes egipcio. Ignoré el hecho de que usara mi raza para su beneficio, pues necesitaba dinero para pagar mi renta.

No hay mucho más que decir al respecto, excepto que obtuve el trabajo en seguida. Mis días laborales se convirtieron en semanas y luego en meses de extenso aburrimiento. Pasaba mis días sentada detrás del escritorio de recepción, atendiendo a los ocasionales clientes, los cuales no eran muchos. Si me preguntas, no entiendo cómo ese hotel lograba mantenerse en pie, con tan poca clientela. Sigo diciendo que era un frente para un comercio de drogas de bajo fondo.

Siendo un hotel pequeño, sólo había otros dos empleados en mi turno laboral, que era el nocturno. Lo que ocurría después de que yo marcaba mi tarjeta de salida, no era asunto mío, aunque después de lo que les contaré esta noche, creo que secretamente me hubiera gustado saber si pasaba algo similar.

Mi primer compañero se llamaba Johan. Tenía unos treinta años, era calvo, pero bastante musculoso. No se le notaba por su uniforme lila de botones, pero era evidente que cargar maletas pesadas era lo que le había dado esa energía para continuar trabajando en ese lugar. De dónde vino y a dónde iba, no lo sabía. Ni siquiera sabía si era de este país. No hablaba mucho, y cuando lo hacía, era un tono monótono y un acento neutral. A veces fantaseaba con que se trataba de un espía encubierto o algo por el estilo.

Ahora, sé que usé la palabra "fantasear", pero Johan no era mi tipo de hombre, y él y yo nunca hicimos nada. De hecho, quien sí fantaseaba constantemente con él era Hilda, la mucama. Debía de tener la misma edad de Johan, pero no se le notaba. Era pequeña, de tez un poco más clara que la mía y un cabello largo y liso que siempre tenía recogido. Su espalda siempre encorvada a pesar de su trabajo que la obligaba a inclinarse numerosas veces. Y claro, antes de que termine esta historia, ella se inclinaría mucho por razones diferentes.

La razón por la cual sé sobre los deseos carnales de Hilda no era porque me los confesara, sino por como ella observaba a Johan. No le quitaba los ojos de encima. Ella siempre era diligente en su trabajo y no se distraía con nada, excepto cuando Johan estaba en la misma habitación que ella. Siempre le buscaba conversación, se trastabillaba con sus palabras y a veces incluso dejaba las habitaciones más sucias que como las encontró. Si no la habían despedido, era porque no tenía tantos encuentros con Johan como hubiera querido.

Pero lo prometido es sagrado, y la historia que realmente importa es en la que estoy involucrada. Pero no se preocupen, Johan y Hilda harán una importante aparición.

Todo empezó con la llegada de un cliente inusual. Se llamaba Thomas Reynard. Era más bajo que yo, de contextura promedio, pero muy adinerado a juzgar por sus trajes. Se le notaba en su forma de hablar que había recibido una educación superior. Era algo galán, no les voy a mentir, pero me tendría que tomar unos cuantos tragos antes de estar con él. Era algo pomposo en su forma de mostrar el dinero, y no soy una chica que caiga fácil por los millonarios. Habiendo dicho eso, su cabello corto y marrón lo hacía ver como alguien muy adorable.

¿Por qué alguien tan adinerado se quedaría en un hotel tan pequeño? Bueno, en mi experiencia, fue por tener con qué alardear con el personal. Después de todo, en la semana que se quedó, parecía llegar todas las noches muy tarde, como si estuviera en una eterna rumba. Llegaba oliendo a alcohol, y siempre coqueteaba conmigo. Claro que también lo hacía cuando estaba sobrio, pero en sus noches de ebriedad siempre era más directo. Yo lo dejaba pasar porque, pues, me hacía reír con sus insinuaciones. Decía cosas como '¡Jamás he visto una mujer tan voluptuosa como tú!', y así.

Entonces, llegó el sábado, un día antes de que le tocara su turno de irse. Esa noche llegó más tomado de lo usual. Habló conmigo un rato, y entonces me hizo una proposición de la que no pude hacer sino reír. Me dijo que me pagaría mil dólares por estar una noche con él. Al principio creí que se trataba de una broma, pero mis risas se cortaron cuando vi cómo sacaba su chequera. Vi con mis propios ojos cómo escribía la cantidad que había ofertado en aquel papelito blanco, y el destinatario lo dejó en blanco. Claro que yo no era una prostituta, y jamás consideraría vender mi cuerpo de tal manera... pero esos tiempos habían sido duros para mí.

¿Te acuerdas del abril pasado, David? ¿Cuándo mi madre enfermó terriblemente y no tenía seguro con que pagar su estadía en el hospital? Bueno, no sólo tenía esa factura pendiente, sino que además iba un poco atrasada con mi renta. Mil dólares no me caerían nada mal. Nada, nada mal.

Para cuando empecé a considerarlo, Thomas ya estaba quedándose dormido frente al mostrador. Dejé escapar un suspiro. Lo cargué hasta su habitación, y ahí lo dejé dormir. A pesar de que me hubiera sido fácil tomar su cheque en blanco, decidí dejarlo guardado en su chaqueta y conservar la poca dignidad que me quedaba.

Al día siguiente, bajo a la recepción a eso de las seis de la tarde, cuando apenas empezaba mi turno. Parecía como si hubiera dormido todo el día. Yo me sentía fresca, con mi falda y mis medias negras y una camisa blanca que me hacía sentir profesional. Tú sabes cómo es, querido David. Me encanta vestirme bien.

Pero a pesar de sentirme fresca, también me sentía un poco... ahogada, creo que es la palabra. Una llamada del hospital me había puesto en alerta, y tal vez Thomas sintió que yo no me sentía muy bien ese día. Hablamos un rato, le conté lo de mi madre, e incluso lo que había ocurrido anoche. Él se sonrojó un poco, pero actuó como si su intento de comprar mi cuerpo había sido una broma. Me dijo '¿Cómo no pagar por estar contigo? ¡Si eres la mujer más atractiva que he visto en esta ciudad!'.

Una vez más, lo volví a considerar. Le dije 'Bueno, ¿la oferta de los mil dólares sigue en pie?'. De más está decir lo que ocurrió después, pero estoy seguro que están deseosos por conocer los detalles, y es que nuestra historia no termina aquí. Puse mi cartel de 'vuelvo en una hora', y subí al ascensor con él. Al principio, parecía nervioso, pero a medida que fuimos llegando a su habitación en la suite de lujo, fue adquiriendo confianza con mi cuerpo. Sentí su mano tocar mi espalda, y justo cuando salimos del ascensor, pasó rápidamente su palma contra mi culo, y lo estrujó con fuerza. Y lo crean o no, en ese momento mi reacción inicial fue morderme el labio. Después de todo, él no estaba tan mal, y puede que lo hubiera hecho con él de gratis.

Para cuando estuvimos en la entrada de su lujosa habitación, me tenía presionada contra la puerta. A pesar de que yo era más alta que él con tacones, él era más fuerte de lo que parecía. Me tenía presionada contra la puerta, besándome el cuello y quitando los primeros botones de mi camisa, dejando entrever mi busto cubierto con un sostén rosa. Intenté frenarlo un poco para abrir la puerta, pero sus manos fueron directas por debajo de mi falda, pasando por mis muslos y acariciando gentilmente mi sexo. He de admitir que se sintió muy bien. Por mucho que alardeara, sabía cómo tocarme.

Tras mucho jugueteo de manos entre nosotros, Thomas por fin sacó la llave de su bolsillo. Abrimos la puerta, envueltos en besos y toques íntimos. Pero en lugar de ver una habitación de lujo vacía, me encontré con un grito agudo de sorpresa, a lo que tuve que contestar con un sonido similar. Johan y Hilda estaban desnudos, sobre la gran cama circular, en pleno acto sexual. Él, de rodillas sobre la cama, la tomaba con fuerza por las piernas, las cuales estaban estiradas en el aire, mientras ella yacía acostada mordiéndose un dedo por el placer. Aquella escena había quedado congelada en mi mente, y parecía que la que Thomas y yo compartíamos también quedaría grabado en sus cabezas. Entendí que, cómo Thomas siempre salía de noche, Johan y Hilda aprovecharon la oportunidad para usar la suite presidencial como su nido de amor.

En ese momento, se hizo un terrible silencio incómodo. Los cuatro nos observamos detenidamente, sin saber que decir, sin saber qué hacer. Pero toda tensión se rompió cuando la mano que Thomas tenía entre mis muslos continuó moviéndose. Apreté mis muslos, e incluso puse una mano ahí para intentar detenerlo, pero todo fue en vano. Mis ojos estaban blancos de placer. Y como Johan me observaba, empezó a excitarse por la escena. Lentamente, continuó penetrando a Hilda, como había estado haciendo unos segundos antes, y ella pareció aceptarlo sin siquiera decir algo que no fuera un gemido. Los cuatro caímos en una sintonía sexual, en dónde no quitábamos la mirada de la otra pareja, nos excitábamos y la pagábamos con nuestro amante de turno.

Thomas no perdió ningún momento. Abrió mi camisa de un brusco movimiento, rompiendo los botones en el proceso. Murmuró algo sobre pagármela después, sacó mis senos del sostén rosa y se los metió en la boca. Su lengua pasó por mis pezones primero sin piedad, pero se detuvo rápidamente para que no perdiera sensibilidad en ellos. Me lamió lentamente después de su primer arrebato de lujuria, y en seguida me encendió por dentro. Los dos nos sentamos sobre un pequeño sofá blanco un poco alejado de la cama, pero no tanto para que la otra pareja pudiera observarnos. Entonces, apoyé mi abdomen sobre uno de los reposabrazos, dejando expuesto mi espalda de color negro y rosa por el sostén, en una deliciosa curvatura hecha para que ningún hombre se me resistiera.

Desde esa posición, no podía ver lo que Thomas hacía, pero si la nueva práctica de Johan y Hilda. Esta vez, los dos nos observaban, masturbándose mutuamente. Hilda intentaba tocar y darle placer a Johan, pero él la masturbaba tan rápidamente que ella no era capaz de concentrarse. Los vagos intentos de ella morían en gemidos de placer, y caía sobre la cama, dejándose llevar en un viaje de sexo y lujuria provocado por los dedos de Johan. Pero él sólo tenía ojos para mí, y para lo que me estaba ocurriendo en ese momento.

Sentí cómo se desabotonaba mi sostén, casi gentilmente. Mi falda subió por encima de mi cintura, y mis bragas eran bajadas sutilmente. Sentí un rostro, una mejilla que pasaba por mi culo, como si él lo estuviera adorando primero antes de sentir como presionaba contra su abdomen. Estuve a punto de voltearme para preguntarle por qué tardaba tanto, cuando mis palabras se quedaron atoradas en mi garganta al sentir su miembro entrar dentro de mí por completo, con toda profundidad. Era una suerte que estuviera tan mojada o si no me hubiera dolido mucho. Una O se formaba en mi boca y en mis ojos, y mi expresión de sorpresa parecía excitar a Johan desde el otro lado de la sala, pues su miembro empezó a pulsar en los dedos casi inmóviles de Hilda.

Digan lo que digan de Thomas, ese tipo sí que supo montarme. Aprovechó sus mil dólares con mi culo. Debió de haber estado ahí al menos unos veinte minutos, sin hacer otra cosa que metérmelo por detrás. Y podría parecer que era aburrido o monótono, pero la verdad es que se sentía muy bien. Iba alternando sus velocidades, a veces penetrándome con cuidado, y a veces metiéndomela tan rápido como pudo. A veces me daba una palmada en una nalga, y yo gemía de placer porque sabía que eso era lo que le gustaba a los tipos como Thomas… y Johan.

Finalmente, sentí como en vez de una palmada, me agarraba con fuerza el culo. Thomas estaba a punto de acabar, y como me había estado tratando, sabía que yo lo estaría pronto. Pero entonces, en lugar de ir más despacio, aceleró como no lo había hecho en los últimos veinte minutos. Su miembro entro y salió en mi tantas veces y con tanta frecuencia, que sentí como un orgasmo recorría todo mi cuerpo. Tan excitada estaba que ni siquiera me importaba que me acabara adentro, y así lo hizo. Su chorro de esperma me llenó por completo, y chocó con mis propios fluidos al tiempo que yo acababa. Como una reacción en cadena, Johan acabó también en ese momento. Lanzó un par de chorros, que cayeron en la cama, en sus piernas, y en el rostro de la pobre (o afortunada) Hilda, la cual parecía haberse desmayado hace tiempo de tantos orgasmos múltiples que Johan le había ocasionado.

Los tres que quedábamos conscientes nos quedamos un momento en la misma posición en la que habíamos acabado, intentando recuperar el aliento, menos Thomas que se había sentado en el suelo. Tras un minuto de completo silencio, Johan despertó a Hilda e intentó hacer que saliera del cuarto con él, pero a duras penas ella podía moverse a juzgar por como temblaban sus piernas. Finalmente, Johan cargó con ella y con la ropa de los dos, y salió de la habitación.

Thomas fue al baño a limpiarse, y al regresar, me dio un cheque por mil dólares. En la casilla donde dice 'asunto', escribió 'por una noche maravillosa'. Hasta el día de hoy no sé si es adorable o cursi, pero me quedé con los mil dólares. Me despedí con un beso, y luego me largué de ahí. Al día siguiente, debió de haber partido temprano, pues nunca lo volví a ver, y dejé mi única noche de prostitución como un recuerdo memorable en lugar de una perdida de dignidad.

¿Y Johan y Hilda? Pues, a pesar de que los tres aún trabajamos en el hotel, ninguno me ha comentado algo sobre esa noche, y creo que así se quedará. Pero sin embargo, cuando los veo pasar juntos a mi lado, ambos se voltean a verme con una sonrisa de complicidad. Y yo no puedo sino contestarla, teniendo los tres un secreto entre nosotros".

5. EL BAR

—Me tienes que estar jodiendo —dijo David, una vez que Katerina terminó con su historia—. No puedo creer que hayas hecho algo así.

—Pues créelo, querido.

—¿En serio hiciste de prostituta? —David tenía la boca abierta, incapaz de creer aquello de su amiga. Yo tan sólo me sentía feliz por haber contado mis historias, pues no sería capaz de aportar algo mío a la conversación.

—¡Hey! ¡Fue sólo una vez, y lo hice por mi madre! ¡Y por mi renta! ¡Y por unos zapatos Jimmy Choo que me quedan espectaculares! —contestó Katerina, un poco indignada pero también riéndose de aquella acusación—. No es cómo si tú no hubieras hecho algo así.

—Por un viaje en crucero, o por un favor. ¡Pero no por dinero!

Los dos continuaron riendo, y para no sentirme fuera de ese intercambio, reí con ellos, un tanto incómoda. Mi mente pasaba rápidamente por todas las historias de sexo que había vivido en un día. Esta era la tercera, y aún me faltaba escuchar la que Jenny quería contarnos una vez que terminara su turno.

No podía sino pensar en todas las situaciones sexuales que ocurrían en trabajos comunes, en gente con las que trataba cada día. Cuando iba al mercado, a una farmacia, a una tienda de ropa… ¿Acaso los empleados estarían follando cuando no tienen que atenderme? ¿De verdad ocurría con tanta frecuencia? Mis dos compañeros, sentados en la misma mesa que yo, los dos tenían sus historias, aunque no había escuchado una de David aún. Sentía como si hubiera un mundo de encuentros sexuales al que yo no pertenecía, que estaba escondido de mí y, sin embargo, tan cerca. ¿Estaría tan mal… si mi jefe, Alphonse Rieter y yo…?

Como si lo hubiera conjurado al pensar en él, sentí que mi celular vibraba. ¡Me estaba llamando! ¡Un sábado! Sentí cómo si mi respiración se cortara, y di gracias a Dios por no haber estado tomando un trago mientras eso ocurría. Los otros empezaron a notar mi expresión de pánico.

—¿Estás bien, querida? —preguntó David, sin perder su tono burlón—. Tendrás que perdonar a mi amiga, Kate. No está acostumbrada a tanto erotismo.

—Dis... disculpen, tengo que atender una llamada —dije, a duras penas, por debajo de las risas de Katerina.

Me levanté de mi asiento, y me adentré rápidamente al baño. Por suerte, Alphonse seguía llamándome, aunque pronto le caería el buzón de voz. No me sentía preparada para hablar con él, y se me pasó por la cabeza la idea de dejar que el celular sonara, pero antes de poder considerarlo siquiera, atendí la llamada.

—¿Maggie? —dijo Alphonse a través del teléfono—. ¿Estás por ahí?

—Sí... ¡Sí, señor Rieter! —dije, trastabillando con cada una de las palabras pronunciadas—. ¿En qué... qué puedo ayudarlo?

—Vamos, no tienes que llamarme "señor Rieter". Alphonse es más que apropiado —dijo, entre risas. También reí, pero de forma más incómoda—. Pues, te llamaba para pedirte un favor. Se acerca el evento de gala de este fin, ¿te acuerdas?

—Sí, claro. Ha estado hablando de eso toda la semana.

—¿De veras? —Alphonse se escuchaba intrigado, y era una suerte que no pudiera ver cómo me sonrojaba—. Bueno, resulta que irán muchos accionistas de la empresa con sus esposas. Y bueno, no quiero sentir que no pertenezco, y necesito a alguien que lidie con las esposas mientras yo hablo de negocios con los hombres. Sí, suena muy machista, ¿pero qué se le va a hacer? Son unos viejos estirados.

—En... entiendo...

—Discúlpame, Maggie, estoy hablando de más. Creo que me avergüenza un poco pedirte que vayas conmigo a esa fiesta.

¿No estaba soñando? Tenía que estarlo. No sólo Alphonse Rieter me había pedido que fuera con él, sino que además le daba vergüenza hacerlo. Quería decirle "¿Cómo le puede dar pena a alguien como tú pedirme cualquier cosa?", pero intenté mantenerme en calma y no hacerme ilusiones. Era un evento profesional, después de todo.

—No me molestaría ayudar a la empresa, señor Rieter... Digo, Alphonse.

—¡Fantástico! Me alegra que hayas dicho que sí. Si no, hubiera tenido que pedírselo a Pamela Jones. —Dios, cómo odio a Pamela Jones—. Enviaré a alguien con un vestido hasta tu apartamento. No te preocupes, corre por mi cuenta.

—¡Pero, señor Rieter!

—Recuerda, es Alphonse. Tengo que irme, Maggie. Nos vemos el lunes en la oficina.

Y con eso, Alphonse Rieter trancó la llamada, cómo si se sintiera presionado a terminar de hablar conmigo. Me quedé un rato frente al espejo del baño, observando mi rostro de estúpida con el celular aún pegado a mi oreja. Este último minuto había sido demasiado para mí. ¿Me compraría un vestido? ¿A mí? Y aún no era capaz de asimilar el hecho de que me había invitado al evento de gala. ¡Y por encima de Pamela Jones! Espero que ella se esté atragantando con ese hecho.

Salí del baño, sintiéndome un solar, lanzando rayos de luz a donde quiera que fuera, iluminando mi paso. Sentía como si de repente, todo empezaría a mejorar para mí. Me empecé a hacer ilusiones, a pesar de que me las había prohibido.

Al llegar a la mesa, David y Katerina notaron mi cambio de humor.

—Buenas noticias, supongo —dijo David, guiñándome un ojo. De alguna forma, sabía que era con Alphonse Rieter con quien había estado hablando. ¿Acaso mi gran sonrisa era tan delatora?

—No tienes ni idea. Te tendré que contar luego.

Katerina nos observó a los dos, intrigada por lo que acababa de ocurrir, pero sintió que no era de su incumbencia, así que tan sólo se encogió de hombros.

—Creo que le toca a David contar sus encuentros sexuales —dijo Katerina, intentando cambiar la conversación—. ¿Alguno en particular con el que quieras deleitarnos?

—Debo de tener unos cuantos, sí. Aunque no sé qué tan entretenidos sean. Y desde luego, necesitaré un poco más de vodka.

—Yo lo pido —dijo Katerina, y salió en busca de los tragos. En menos de un minuto, ya estaba de vuelta—. Jenny nos los traerá. Puedes empezar.

—Muy bien, aquí voy.

Las próximas dos horas fue un surtido de cuentos e historias sobre las diversas y extrañas aventuras sexuales de mi amigo David. Algunas eran normales, lo que uno esperaría de romances pasajeros, mientras que otras incluían situaciones y lugares insólitos, de las que es mejor no preguntar. Con el pasar de los minutos, se fue haciendo cada vez más de noche, y los clientes fueron desapareciendo, hasta que quedaron sólo un par de mesas ocupadas, de las cuales una era la nuestra.

Justo cuando David terminaba con una de sus historias que involucraban a un loro, una cuchara de sopa y a un chico asiático (por favor, no pregunten), Jenny llegó hasta nuestra mesa. Aún tenía puesto su uniforme, pero se había quitado el delantal. Tomó una silla igual que había hecho antes, con el respaldar frente a ella, y se sentó entre Katerina y David.

—Ah, la famosa historia del loro. Creí que sería una de las primeras que contarías —dijo Jenny, riendo a carcajadas—. ¿Tuvieron suficiente de los cuentos eróticos de David?

—Tuve suficientes cuentos eróticos por una noche —contestó Katerina.

—Yo también —dije.

—¡Oh, vamos! Yo aún no he contado el que tenía pensado. Además, los cuentos de David están hecho para asquear, no para excitar.

David levantó su quinto trago de vodka, como confirmando las palabras de Jenny, y luego empezó a quedarse dormido sobre la mesa. Aún si hubiera querido seguir contando sus historias, no creo que hubiera podido.

—No sé si quiera saber sobre tu vida sexual, Jenny —dijo David, con el rostro escondido entre sus brazos—. No hemos llegado a ese nivel de confianza todavía.

—¡No les voy a contar sobre mí! Algunos de nosotros tenemos algo de pudor, ¿sabes? —dijo Jenny, propinándole un golpe a David en el hombro, el cual ni siquiera se inmutó—. No, esta aventura le ocurrió a nada más y nada menos que al dueño de este bar.

Las tres chicas, que aun quedábamos conscientes, nos volteamos hacia la barra, donde El Camarada se encargaba de contar el dinero de la caja. Su rostro parecía tallado en piedra, con una eterna ceja fruncida y la boca arqueada hacia abajo. No era capaz de imaginarme a tal criatura como un ser sexual.

"Esto ocurrió hace dos años, aproximadamente. En ese entonces, yo no trabajaba aquí, pero mi puesto lo ocupaba mi amiga Celina. Un sueño adorable de mujer, ¿saben? Pequeña, pero de atributos favorables. Tal vez le falta un poco de culo, pero en lo demás es la descripción de la mujer perfecta para muchos hombres que conozco. A ver, ¿Qué más tiene ella? Cabello castaño oscuro, y lentes de secretaria que hacían a más de uno fantasear. Oh, y cómo faltar, una debilidad por los hombres mayores.

Déjenme entonces hablarles del amante número dos. El Camarada en ese entonces no era muy diferente. Tenía el mismo aspecto de cincuentón que tiene ahora, con el cabello gris y las cejas pobladas. La única diferencia es que se le notaba lleno de vida. Era un hombre más feliz y regordete, que amaba a su bar y a sus clientes. Pero por encima de todo, amaba a su esposa.

Aquí es cuando entra entonces nuestro tercer personaje de la historia. No mucho se sabe de la esposa del Camarada. Creo que es diez años menos que él, rubia natural y usa mucho maquillaje. Según lo que me han contado, tiene medio cuerpo operado. Tetas, culo, abdomen, todo es silicona y liposucción, aunque nunca se ha tocado la cara. Su belleza, según decía El Camarada, no tenía igual. Era su calor durante el invierno (sus palabras, no las mías).

El Camarada y su esposa no tenían juntos mucho tiempo. De hecho, creo que se conocieron en nuestro país. Él un inmigrante con su propio bar, ella buscando alguien con quien casarse antes de que fuera muy tarde. Pensarían que era una receta para el desastre, pero de hecho se amaban. Eran muy afectuosos cuando estaban juntos, y dicen que El Camarada no tenía pudor alguno cuando se trataba de tocar a su mujer en público. Sin importar quien los viera, le agarraba el culo en frente de todos, e incluso jugaba un poco con su pecho por encima de la camisa. Con sus imperfecciones, era un matrimonio que funcionaba.

Todo cambió cuando contrataron a Celina. Como el último camarero de Lirio había estado robando dinero de la caja, era necesario que fuera reemplazado rápidamente. Mi amiga estaba en busca de dinero fácil con el que pagar unos cursos de marketing digital que por ese entonces tomaba, aunque estoy segura de que nunca los terminó. En fin, se imaginarán lo atraído que se sintió El Camarada al estar en una posición de poder sobre la joven y dulce Celina. Y lo que era peor, tenían muy buena química. A pesar de ser tan distintos, ambos se llevaban de maravilla. Se reían de las mismas cosas, y tenían el mismo tipo de ocurrencias.

Creo que toda esa interacción hizo que la esposa se sintiera celosa. En ocasiones, cuando El Camarada iba al cuarto de atrás para revisar el inventario o cargar con toneles de cerveza, se tomaba una larga pausa... involuntaria. Su esposa lo esperaba para darle una mamada, para que así descargara cualquier tipo de tensión sexual que sentía hacia su joven empleada. De esa forma, el matrimonio se sentía a salvo de toda tentación. El problema, claro, era que no contaban con los fetiches de Celina.

A pesar de ser una chica normal por fuera, mi querida amiga tiene debilidad por los hombres mayores a ella. La he visto salir con ancianos aún mayores que mi jefe. Claro que se sentía atraída por El Camarada, pero lo que más la provocaba eran los celos de su esposa. Celina aprovechó cada ocasión que tuvo para tentar al pobre hombre.

Empezó con cosas simples. Celina se subía a uno de los taburetes para alcanzar las copas de uno de los estantes encima de la barra, y hacía lo posible para que su culo se notara. No era muy grande, pero la falda pegada del uniforme hacía que se viera apretado, y los zapatos de tacón negros y la pierna levantada de forma juguetona era suficiente para hacer que El Camarada tuviera que recurrir a uno de sus viajes al cuarto de atrás. Celina empezó a subir la tensión, poniéndose en cuatro cuando le tocaba limpiar el suelo, o cuando hablaba con el jefe en los ratos libres, tendría un botón de la camisa un poco suelto para dejar expuesto su generoso busto. Incluso creo que una vez lo esperó en el cuarto de atrás sin camisa, sólo con el sostén puesto, y una vez que su jefe entró, dijo que se estaba cambiando la camisa por el uniforme de trabajo. No era suficiente para crear un efecto atávico en El Camarada, pero era suficiente para dejarle ideas en la cabeza.

Pero él era un hombre muy satisfecho con su vida sexual para intentar algo fuera de su matrimonio, aunque no tanto como para no pensarlo. Por lo tanto, Celina tendría que hacer la primera jugada.

Una mañana, cuando era muy temprano para que llegaran los

clientes, El Camarada se encontraba detrás de la barra, en el mismo lugar en el que lo ven ahora. No hacía mucho más que secar jarras con un viejo trapo gris, cuando Celina llegó. Aún faltaban varias horas para su turno laboral, y su jefe se extrañó. Pero Celina no dijo nada. Tan sólo llegó hasta donde estaba El Camarada y lo empujó contra los estantes de licores costosos. Presionó sus senos contra el palpitante pecho de su jefe, mientras que pasaba sus manos por su cintura de forma sugestiva y se dejaba caer encima de él, quien aún no era capaz de asimilar que lo que estaba ocurriendo no era una de sus fantasías. Ella tan sólo levantó una pierna de forma coqueta, manteniendo su lengua entre sus dientes y una ceja levantada, esperando a que El Camarada realizara el próximo movimiento.

Su jefe, como aún estaba en estado de *shock*, era más cauteloso. Sus manos le temblaban, y poco a poco la fueron rodeando. Acercó su cabeza hasta estar a centímetros de ella, pero Celina no era una mujer paciente. Lo tomó de la cabeza y lo haló hacia ella, dejando que sus labios se encontraran en un excitante y prohibido beso, pasando el punto sin retorno. Por largo rato en el que Celina subió su muslo para rodear el cuerpo de su jefe con el de ella, sus lenguas se tocaron apasionadamente. Entonces, ella se separó y lo haló hacia la barra, para que él quedara en la misma posición en la que había estado antes de que sus fantasías cobraran vida.

Con una pícara mirada, Celina se puso de rodillas, dándole a entender lo que iba a ocurrir a continuación. Si alguien fuera a entrar en ese momento, jamás se daría cuenta de lo que estaba pasando, excepto por los gestos placenteros que expresaba el rostro de El Camarada, al sentir las cálidas manos entrar por sus pantalones y tomar su miembro firmemente entre sus manos. Ella lo sacó de su pantalón para dejarlo respirar. La gran cabeza morada se asomaba entre sus ojos, tocando los lentes de ella. Celina sonrió, y procedió a dar pequeñas lamidas al pene de su jefe, de abajo hacia arriba, empezando por el cuerpo cilíndrico y lentamente deslizando su lengua hasta la cabeza. Una vez ahí, se metió el miembro en su boca, y lo sintió pulsar dentro de la húmeda cavidad. El Camarada se mantuvo petrificado en todo momento, y no se atrevía a presionar su cadera contra el rostro de su empleada, pero ella no era nada tímida. La fuerza con que empujó sus labios hasta tocar su abdomen con su nariz hizo que El Camarada diera unos pasos hacia atrás.

Así pasaron dos minutos, en los que él recibía oleadas de placer a través de la fuerza de succión de los labios rosa de su más reciente camarera. Entonces, todo sentimiento de placer se interrumpió cuando vio a su esposa entrar al local. ¿Qué podía decirle? No había forma de explicar aquello, por lo que intentó hacer cómo si nada estuviera ocurriendo. Pero los celos son una fuerza poderosa, y ella supo inmediatamente que algo no estaba bien.

Rápidamente, le dio la vuelta a la barra, y se encontró lo que tanto había temido: otra mujer dándole placer a su hombre. Más joven, más dulce, más atractiva y con ganas de complacer. La esposa no podía dejar que aquello continuara. Su marido no podía acostumbrarse a recibir tales afectos sin que provinieran de ella. ¿Y a qué no adivinan que fue lo que hizo? ¿La atacó a ella? ¿A él? ¿Se largó directo a buscar un abogado para el divorcio?

No, nada de eso. Simplemente, empezó a besar a su esposo, mientras él continuaba recibiendo los afectos de la joven Celina, quien recibió a la nueva compañera con una sonrisa digna de una súcubo. Mientras una usaba la lengua para excitar su cabeza de arriba, la otra la usaba para excitar su cabeza de abajo. El Camarada no podía creer lo que estaba ocurriendo. Entonces, su mujer, quien por suerte estaba usando un vestido de rayas moradas y grises se sentó sobre la barra, y extendió las piernas. El Camarada supo lo que tenía que hacer. Mientras recibía placer oral, tenía que también darlo. Sólo que, para su sorpresa, no era con la misma chica.

Con determinación, El Camarada pasó sus manos con gentileza por las piernas de su mujer. Con cuidado, apartó las bragas a un lado, se lamió dos dedos de su mano y la empezó a masturbar. Hizo lo posible por empezar con cuidado para tentarla, pero la mamada que le daba Celina era tan dulce y se sentía tan bien que todo su cuerpo temblaba en un orgasmo que nunca acababa. Por suerte, su esposa se excitaba rápido, y los besos habían sido suficientes para mojarla. Tras varios movimientos circulares y un poco torpes con sus dedos, El Camarada empezó a usar su boca. Entonces, su esposa empezó a gemir de placer a todo volumen. Eso hizo que tanto su marido como la chica que tenía su pene en su boca empezaron a excitarse aún más. Mientras a uno le empezaba a pulsar el pene, a la otra se le mojaba el sexo. Con la mano que tenía libre, Celina empezó a masturbarse por debajo de su falda. Sentir el miembro de un hombre mayor en su boca la llevaba a una nueva dimensión de lo prohibido que la excitaba hasta hacerla acabar.

Pero a pesar de los temblores de sus manos, El Camarada era un as con la lengua. En poco tiempo, hizo acabar a su mujer en un estallido de placer que la hizo gritar hasta hacer resonar las ventanas del bar. En seguida, su marido acabó en la boca de Celina, quien a pesar de haberse estado presionando contra él, no esperaba que su miembro expulsara tanto semen de su boca. Ella tuvo que separarse de él casi al momento, y la saliva mezclada con el semen hizo un desastre con su ropa. Claro que, para ensuciarla aún más, le tocó a ella acabar. Mientras los otros retomaban su aliento, Celina empezó a tocarse tan rápido como pudo, usando tan sólo un dedo. En menos de diez segundos de diferencia, se llenaba las bragas, la falda e incluso las negras medias de mallas de fluidos vaginales.

Tres personas, que jamás pensaron que se encontrarían en esa situación, que incluso habían estado intentando apartar al hombre de la otra, quedaron jadeando de placer en el bar. Una encima de la barra, otra debajo, y otro en frente. Los celos de su esposa parecían haber desaparecido por completo después de ese encuentro. Después de todo, Celina era lo mejor que le había pasado en la vida sexual de aquel matrimonio.

Entonces, ustedes se preguntarán: ¿Por qué El Camarada tiene esa cara de culo todo el tiempo, si había recibido la mejor experiencia sexual que cualquier hombre puede desear, y con dos chicas tan llenas de vitalidad y belleza?".

Tras un silencio en el que todos esperamos la respuesta, David levantó de golpe su cabeza de entre sus brazos, revelando que había escuchado la historia en su totalidad, a pesar de que parecía que se había quedado dormido antes.

—¿Y bien? ¿Cuál es la razón?

Ante la pregunta de David, Jenny nos hizo una señal a todos para que nos acercáramos, como si sus próximas palabras fueran un gran secreto. En seguida, todos formamos un círculo cerrado, asegurándonos que El Camarada no pudiera escucharnos. Incluso David, quien estaba medio ido de sí, hizo el esfuerzo de rodear la mesa junto a nosotros.

—Pues, después de un par de meses, Celina renunció y se fue del país. Nunca más volví a hablar con ella. Al parecer, se llevó consigo a su nueva novia, nada más y nada menos que la esposa de El Camarada.

—¿Qué? —gritamos Katerina y yo a la vez.

—Así cómo lo escuchan. Aunque ninguna de las dos era bisexual, el compartir a un mismo hombre a la vez hizo que florecieran ciertos sentimientos dentro de ellas de los que no creyeron que serían capaces.

—Pobre hombre… —dijo Katerina.

—Pasó de estar en el paraíso a una deprimente soledad —dijo David—. Por mi parte, creo que es hora de que nos vayamos a nuestros respectivos hogares para despertarnos mañana y arrepentirnos de lo que contamos y bebimos el día de hoy.

—Tú más que cualquiera, chico del loro —dijo Jenny entre risas. Se levantó de su asiento, y se dispuso a irse—. Hasta luego, muchachos. Un placer conocerte, Maggie. Espero verte por aquí más seguido.

Asentí con la cabeza, sin ser capaz de decir mucho después de esa historia. Los tres que quedamos nos levantamos, y Katerina y yo tuvimos que ayudar a David a salir del bar Lirio. Pero antes de salir por la puerta principal, di una última mirada hacia atrás, hacia el hombre que permanecía de pie frente a la barra, que había permanecido en el mismo lugar desde que habíamos llegado, y quién sabe hasta qué hora estaría de pie, despierto, pensando en todo lo que había tenido, en todo lo que había perdido. Y a pesar de que algunos dirían que es sólo sexo, para él había sido mucho más. Al final, no pude sino sentir pena por el hombre, pero más por su derrota que por haber definido el resto de su vida por un encuentro sexual. Después de todas las historias de sexo prohibido que había escuchado el día de hoy, empecé a sentir una cierta normalidad en las relaciones laborales.

Con un hondo suspiro, me pregunté si sería cuestión de tiempo antes de que Alphonse Rieter y yo tuviéramos algo, o si nuestra relación profesional aún era capaz de ser salvada. Pero, ¿acaso quería salvarla? No pensé más en ello, pues temí por la respuesta.

6. LA TIENDA DE ROPA

Dolor de cabeza. Garganta seca. La luz entrando por mis cortinas y haciéndome daño en los ojos.

Y claro, los vagos recuerdos de la noche anterior. Dicen que los borrachos no sueñan sino en negro, pero puedo decir con certeza que mi cabeza se llenó de imágenes de ayer, de cuentos sobre encuentros prohibidos y llenos de pasión. ¿Habían sido cuentos? Empezaba a dudar si había sido una espectadora, o si los había vivido.

El Gimnasio. La Veterinaria. El Hotel. El Bar. En todos los encuentros sexuales me podía ver en ellos. Los recordaba desde el punto de vista de las mujeres, y donde debía de estar el hombre, estaba Alphonse Rieter. Mi mente me jugaba trucos, pero no podía evitar hundirme en ellos. Dejar que me rodearan, revivirlos en la resaca de la mañana, deseando que Alphonse Rieter despertara a mi lado.

Mis pensamientos fueron interrumpidos por un mensaje que llegó a mi teléfono. Al tomarlo, pude ver la hora brillando en la pantalla, casi juzgándome. El mediodía ya había pasado, y en unas ocho horas tendría que ir al evento de la revista Platonic con Alphonse Rieter.

Fue entonces que me petrifiqué del miedo. Cierto, como olvidarlo. Hoy tenía una "cita laboral" con Alphonse Rieter. Ambos iríamos a un evento de gala juntos, y yo sería su pareja esta noche. Yo, Margaret Tennenbaum, Maggie, la chica rara y tímida de la oficina, sería la pareja de Alphonse Rieter. Por muy emocionada que debía de sentirme, era el terror lo que me invadía. No me sentía lista para un compromiso de esa magnitud. Sentía que empezaba a hiperventilar, pero no podía detenerme.

Como si se tratara de una jugarreta del destino, al mismo tiempo que me levantaba de la cama, el timbre del apartamento resonó por toda la habitación. Corrí hasta la puerta, y observé a través de la mirilla. Un hombre de cabello bien peinado, un fino bigote como dos líneas debajo de la nariz y un traje elegante verde. ¡El sastre! Casi lo olvidaba, pero entre los borrosos recuerdos de la noche anterior, recordaba a duras penas la llamada de Alphonse, y la mención de un vestido que traerían a mi casa.

Sin darle mucha importancia al hecho de que recibía a un extraño a mi casa vistiendo mis pijamas de gatitos (y es que la resaca supera a la vergüenza), abrí la puerta.

—¡Buenos días! Usted debe ser…

Pero mi saludo quedo en el aire, mientras que el hombre entraba al apartamento antes de ser invitado. Camino alrededor de los muebles, observando cada cuadro, cada pequeña decoración, cada pila de ropa amontonada que aún no había lavado, y todo con la nariz hacia arriba y una cara de disgusto.

—Supongo que puede pasar… —dije, dejando que el sarcasmo se notara en mi voz.

—Un reto. Siempre me envían a las personas más difíciles de complacer —dijo el hombre, pronunciando sus primeras palabras. Aunque no fuera una persona pequeña, tenía la voz de un duende malvado—. Pero supongo que por eso Samson&Sons son los mejores.

—¿Samson&Sons?

—¡La sastrería! ¿De qué lugar infernal has estado comprando… lo que sea que es esta cosa? —Dijo el hombre, mientras que señalaba mi ropa—. Claramente, una persona que prefiere sucursales genéricas.

Sentí que debía de decirle algo al hombre que entraba a mi casa a insultarme, pero a mi mente llegó la imagen de las tiendas de ropa, e imaginé a sus empleados cogiendo encima de la mercancía que vendían a sus clientes. ¿Por qué no? Después del día de ayer, había sido iluminada en el mundo del sexo laboral. Al parecer, estaba en todos lados, y ahora no podía dejar de verlo. Puede que incluso mi sastre de los finos bigotes haya tenido sus aventuras en el almacén.

El pensar en ello hizo que me mareara, y sentí la necesidad de sentarme. Me dejé caer sobre uno de los sillones de la sala, y el estruendo que hice debió de haber sido grande, pues el sastre parecía haberse sobresaltado.

—¿Estás bien? Tienes el rostro de alguien que… bueno, que usa ese tipo de ropa, sin duda —dijo de forma despectiva, aunque empezaba a sospechar que esa era su forma de ser con todo el mundo, pues se acercó y se inclinó a mi lado, como si estuviera preocupado por mi salud—. Debiste de haber tomado mucho anoche. Tu aspecto físico te delata.

—No es eso. El alcohol lo puedo soportar —dije, intentando hacerme la dura, aunque ambos sabíamos que era una mentira—. Es solo que…

—¿Sí?

—No, no es nada.

Decidí guardarme mis pensamientos esta vez. Después de todo, el sastre era un extraño, y no tenía por qué contarle estas cosas a alguien que no conocía. Ya había sido una anomalía mis encuentros de ayer, en donde dos personas que eran ajenas a mí se habían abierto tan fácilmente con sus secretos íntimos.

—Un problema dentro de la cabeza. Entiendo. —El sastre asintió con la cabeza. De un bolsillo de su chaqueta tomó lo que parecía una cinta de medir. Con gran esmero, intentó hacer lo mejor que pudo para calcular las proporciones de mi cuerpo, a pesar de que yo me mantenía sentada en el sillón. La escena resultaba un tanto graciosa—. No busco entrometerme, pero la relación entre un sastre y su cliente ha de ser óptima para obtener el mejor resultado. No tienes que contarme, pero tal vez te ayudaría que yo te contara a ti.

—¿Contarme qué?

—Cuando trabajas midiendo el cuerpo de una persona,

puedes conocer sus inquietudes fácilmente. La forma en que tiembla o mantiene la compostura, sus pequeños gestos, sus expresiones, el tragar saliva, el tic nervioso… las conozco todas. —El sastre dejó de medir mi pierna, y se puso de pie, con una pícara sonrisa en su rostro—. Sus preocupaciones, madame, son relativas al sexo. Tal vez a sentimientos que sienta por nuestro mutuo conocido, el señor Rieter.

Mi cuerpo se congeló en seguida. Mis ojos, que habían estado viendo el techo todo este tiempo, se concentraron en el hombre que mantenía una sonrisa en su rostro y las manos en su espalda. Parecía orgulloso de haber causado una reacción en mí, y pensé en que podía ser un pervertido que había invitado a mi casa. Pero no lo eché de mi casa, pues la mención de Alphonse Rieter me había llenado de curiosidad.

  —¿Cómo…lo sabe?
  —Como ya le dije, se nota en todas sus facetas.

Quedé en silencio por unos minutos. El sastre aprovechó para sentarse en el reposabrazos del sofá, pues los asientos estaban ocupados por pilas de ropa sin lavar. Mi mente se sentía como un remolino, y no sabía que debía de hacer, pero finalmente tomé una decisión. Tomé una profunda bocanada de aire, y cerré los ojos.

Entonces, procedí a contarle todo lo que había ocurrido el día de ayer. Todas las historias sexuales de extraños, de cómo el mundo parecía haber estado escondiéndome algo todo este tiempo, como temía de que el ser invitada al evento de esta noche podía ser una insinuación de mi jefe que aún no captaba.

Durante todo el tiempo en que relaté mi historia, el sastre permaneció en silencio, observándome a través de sus gafas, con las piernas cruzas, sin interrumpirme ni una vez. Finalmente, cuando se hizo evidente que me había descargado, dejó de cruzar las piernas, listo para responder.

—Querida, es el siglo veintiuno. Claro que hay sexo en todas partes. ¿Te importa si fumo? —Antes de que pudiera contestar, el sastre ya estaba encendiendo un cigarro. Tras aspirar y soltar una bocanada de humo, continuó hablando—. Y puedo decirte que el señor Rieter es un caballero, y nunca la pondría en una situación en la que se sienta incómoda.

—Me siento incómoda yendo a un evento de gala.

—Bueno, una situación sexual que la haga sentir incómoda. —Aspiro una segunda bocana de humo, y se pasó la mano por el cabello, con la vista puesta sobre la ventana—. Y lo del sexo en oficinas y tiendas y demás, si, ocurre, pero no es tan frecuente como crees. No practicamos eso en Samson&Sons.

Sentí una oleada de alivio que rápidamente fue interrumpida.

—Claro que, en Rivadavia, las cosas eran diferentes.

—¿Rivadavia? ¿La tienda de ropa?

—Claro que conoces Rivadavia y no Samson&Sons —contestó el sastre, poniendo los ojos en blanco—. Pero sí. Antes fui gerente en ese lugar, y fui testigo de algunas de las relaciones íntimas que ocurrieron entre el personal…

"¿Cómo puede un caballero empezar una historia como esta? Nunca me molestó contárselas a quienes no conozco, pues cuando se trata de hacer sentir cómodo a un cliente el negocio de un sastre no se diferencia mucho al de un barbero. Lo que podría inquietarme un poco es la reacción del señor Rieter. Lo que te cuente hoy, por favor, que no te haga cambiar de opinión de mi cliente o de la empresa a la que represento. Esta historia recae sobre mí, Bartolomeo Williams.

Con un nombre como ese, pensarías que tendría mi futuro asegurado en una sastrería, pero la verdad es que tuve que pasar mis primeros años de juventud en una sucursal de la Rivadavia. He de decir que una tienda de ropa y una sastrería son negocios tan diferentes como gatos y perros. Samnson&Sons es un lugar de clase y elegancia, y se ve reflejado en todos y cada uno de sus miembros. No significan que estén en contra del sexo, claro, pero el lugar de trabajo siempre ha sido un templo para nosotros. Denigrarlo con fornicaciones secretas sería un sacrilegio.

La Rivadavia era, pues, Sodoma y Gomorra. Sólo contrataban a personas jóvenes, muchos de los cuales se habían liberado de los yugos que son los padres y la incómoda adolescencia, y buscaban una manera de pagarse la universidad. Por lo tanto, siempre estaban listos para follar. Más de una vez fui testigo de interacciones sin pudor, coqueteos y chismes de sexo en el almacén, a veces entre empleados y clientes y otras veces entre los miembros del personal. ¿Acaso nunca has escuchado de alguien de menor rango que le dio una mamada a su gerente por una mejor paga?

Bueno, lo que quiero decir con todo esto es que ocurre más a menudo de lo que piensas, e incluso ocurrió en otras tiendas de ropa en las que trabajé después del tiempo que pasé en la Rivadavia. ¿Qué hace que esta tienda y este cuento en especial destaque por encima de todos? Te contaré. Primero que nada, porque fue la primera vez a la que fui expuesto a este mundo. Y segunda, porque jamás conocí a dos personas con menos probabilidades de tener algo que estos dos.

Sus nombres eran Anthony y Raven, y eran la pareja dispareja. El primero era un francés, de cabeza rapada a los lados y cabello rubio liso, ojos ensoñadores y un cuerpo bien esculpido. Creo que su nombre verdadero era Antoine, pero sus amigos le decían Tony. Yo le decía Anthony. Pero si su increíble físico no atraía mujeres, su carisma natural lo hacía. No es que fuera un charlatán; de hecho, nunca lo vi persiguiendo mujeres de forma activa. Pero era un optimista energético, de esos que aman la vida y los deportes de alta tensión. Una persona graciosa, también. En definitiva, un encanto, y cuando vestía corbatas con chalecos y camisas remangadas, se convertía en un ídolo sexual instantáneo.

Entonces, estaba Raven. Como imaginarás, ese no era su

verdadero nombre, pero así se presentaba con todos. Diría que así le decían sus amigos, pero no estoy muy seguro de que los tuviera. Vestía siempre de negro, con faldas y tops cortos que mostraban nombres de bandas de rock, medias rotas y botas de cuero. Estaba llena de tatuajes y piercings, y un corte de rapado de un lado y del otro una catarata de cabello púrpura. Y claro, la parte más importante de su atuendo, una actitud de mierda. Su imagen radiaba un mensaje: problemas con sus padres. A pesar de que podía caerle pesado a las personas, siempre admiré sus comentarios sarcásticos e inclinaciones intelectuales, dignas de una ermitaña.

Lo único que ambos tenían en común, además de trabajar en Rivadavia, era que ambos intentaban ahorrar dinero para estudiar artes plásticas. A pesar de ser dos seres completamente diferentes, el positivo y la negativa, el cómico y la trágica, existía ese pequeño vínculo entre los dos. Pensarías inmediatamente 'Bueno, fue así que lograron encontrar un terreno común y terminaron cogiendo', pero su amor por el arte no fue chispa de ningún sentimiento de amor. De hecho, fue lo que inicio el fuego de la rivalidad.

Claro que Raven no se llevaba bien con nadie, pero el odio que sentía por Anthony era algo especial. Déjame contarte cómo funcionaba el día a día. Primero llegaba yo a abrir la pesada reja que protegía la tienda, abría los candados y encendía las luces del local. Empezaba barriendo el suelo todas las mañanas, como una costumbre de mantener el lugar de trabajo limpio. Entonces, llegaba la primera dependiente, Raven. Yo la saludaba y ella me hacia la señal del dedo. Era odiosa, claro, pero era una buena empleada. Y si tenía éxito vendiendo era porque su look punk la hacía vestir atuendos un tanto reveladores. Cuando tenía puesto el uniforme azul celeste parecía una chica normal, pero cuando llegaba usando sus tops y sus faldas dejaban en evidencia ciertos atributos que escondía muy bien, tal vez por no querer llamar la atención con su cuerpo. Pero mi sospecha es que había una razón oculta por la cual los clientes siempre le pedían los zapatos que estaban en el estante más alto.

Unas horas después, llegaba Anthony, siempre con sus lentes de sol, una sonrisa en su rostro y sin miedo al mostrar sus músculos marcados en la camisa deportiva y apretada con la que siempre llegaba. He de admitir que más de una vez me le quedé viendo. ¿Cómo no hacerlo? Saludaba a todo el mundo, y si el gerente estaba, lo usual era que le diera una advertencia por llegar tarde, pero Anthony siempre lograba usar su carisma para conquistar su afecto de nuevo y perdonar todas sus infracciones. Jamás en mi vida vi a una persona llegar tarde tantas veces al trabajo y no ser despedido por ello.

Tras saludar a todos con la mano en alto o los típicos puños, pasaba frente a la caja, el puesto de Raven, y solía hacer un comentario como 'Raven, ¿dejaste tus ganas de vivir en casa? Anímate'. Aunque parecía inocente, se le notaba cierta pasividad agresiva en su forma de hablar, probablemente por la cantidad de veces que habían tenido esa conversación. Raven normalmente le contestaba con un insulto a su inteligencia, y así podía pasar toda la mañana, escuchando discusiones y peleas que parecían juegos en la superficie, pero que definitivamente asustaba a la clientela. Nuevamente, he de decir que no sé cómo nunca los despidieron.

Según escuché luego de un colega de ellos de uno de los estudios de arte públicos a los que ambos asistían, las clases eran feroces en su competencia. El profesor siempre felicitaba al mejor artista del día, el cual solía ser Raven o Anthony. Y quien hubiera ganado, se le notaba por la forma en la que al día siguiente se jactaba de ello frente a su contrincante, el cual siempre terminaba explotando en insultos dirigidos al otro.

Así ocurrió por al menos unas tres semanas, hasta que llegó el día de hacer inventario; es decir, sacar todo lo que no se ha vendido del almacén y reemplazarlo con lo nuevo de los últimos diseñadores de moda. En esos días, siempre se requiere de un equipo de al menos tres personas, en la que dos han de quedarse en la parte trasera del local organizando la mercancía mientras que otro maneja la caja como el capitán de un barco solitario, ante una marea de clientes. Como no quería quedarme cargando cajas todo el día y escuchando a uno de mis compañeros hablar mal del otro, me tocaba quien me tocara, decidí hacerle frente a la gran multitud que me esperaba. Que ellos se mataran en el almacén si así lo querían.

Sin embargo, ese día no vino ni un sólo cliente. Una terrible tormenta de nieve que duró desde la mañana hasta más allá de las seis de la tarde se aseguró de que nadie tuviera ganas de salir a la calle, por atractivas que fueran las ofertas. Como era día de inventario, se exigía a todos los empleados que llegaran temprano, por lo que Anthony, Raven y yo quedamos atrapados en la tienda, que muros de nieve separándonos de cualquier otro ser humano. Al menos ninguno tenía que usar el uniforme, así que Raven pudo ir con sus cómodos atuendos góticos y Anthony con su estilizada ropa deportiva.

Pensando que si terminaban rápidamente podrían salir temprano, mis compañeros fueron a la parte de atrás a empezar su trabajo, mientras que yo pasaba el día más aburrido de la historia. A los pocos minutos, empecé a escuchar los insultos y los gritos que iban subiendo de tono, y en algún punto incluso escuché el ruido de cajas de cartón moviéndose bruscamente, como si alguien las pateara o las arrojara. Otra persona hubiera ido a la parte trasera a ver que ocurría, pero ellos no eran mis amigos, y yo no tenía por qué entrometerme en sus asuntos.

Sin embargo, fue cuando quedaron en completo silencio que empecé a asustarme. Sus gritos se habían detenido, pero el ruido violento de las cajas que contenían la preciada mercancía seguía atormentando mi mente. No quería que algo se estropeara y pagáramos los tres, ¿sabes? Así que, aprovechando que no vendría ningún cliente por unas horas, dejé el mando de la nave y fui a averiguar que estaba ocurriendo allá atrás.

Supongo que podrás imaginarte lo que ocurrió después, pero

es importante que te lo describa, pues hay un detalle que se le podría pasar a cualquiera, pero que yo noté tras observarlos un rato. Los dos estaban entrelazados, uno en los brazos del otro, como dos jóvenes adolescentes que están descubriendo su libido por primera vez. Anthony pasaba sus manos con rapidez por todo el cuerpo de ella, sin dejarse disfrutar ni un segundo de su cuerpo. Pasaba sus manos por los muslos cubiertos de medias rotas, hasta llegar a la línea que separaba la falda de la tierna piel, justo debajo de la falda, tan cerca de su sexo. Sus dedos se hacían camino hacia arriba, haciendo una parada para tocarle el culo con la palma, y luego moviéndose por la espalda, hasta llegar al *top* negro. Tanto movimiento brusco había hecho que los senos de Raven se hubieran salido de su camisa, y para el placer de Anthony, había descubierto que no usaba sostén. Entonces, procedió a jugar con los grandes pechos de la chica gótica, pero rápidamente pasaba otra vez al culo.

Lo que pude observar de este comportamiento no era que Anthony fuera sólo un mal amante o un chico desesperado, sino que aún no era capaz de comprender el divino cuerpo que tenía ante él. En su mente, Raven siempre había sido objeto de odio y asco, pero al tener el cuerpo casi desnudo de la chica entrelazado al suyo, compartiendo el mismo calor y los húmedos labios y las miradas llenas de tanta tensión, un nuevo concepto nacía en su cabeza. Un concepto contrario al que tenia de ella desde que la había conocido.

Lo mismo ocurría con Raven, claro. Una vez que las grandes y fuertes manos de Anthony habían recorrido cada parte de la intimidad que era su cuerpo, con cierta violencia y rapidez que caracterizan a una pelea entre rivales, le empujó aparte de ella, hacia un lote de cajas de cartón que cargaban con camisas envueltas en plástico protector. Anthony tenía entonces donde acostarse en el suelo, aunque todo parecía casi accidental, casi como una pelea. No sabían si estaban enojados y compitiendo nuevamente, como si fuera una clase de arte, o si de repente sólo estaban haciendo el amor.

Sé que ella no lo pensó mucho, sino que se dejó llevar. Se quitó las botas y las bragas, sin provocación o sensualidad alguna, y entonces se sentó sobre la pantorrilla de Anthony, quien con la misma rapidez se desabrochó el pantalón y se lo bajó hasta los tobillos junto a su ropa interior roja, revelando su contenido. Si deseas creerme o no depende de ti, pero puedo decirte que tenía una de las vergas más grandes y largas que he visto en mi vida. Creo que el simple movimiento que hizo ante la brusquedad del salir de la ropa que lo protegía, la visión de aquel mastodonte moviéndose de un lado a otro fue suficiente para prender a Raven. Su sexo, el cual había quedado al descubierto, empezaba a humedecerse.

Sus rodillas estaban a los lados de él, y su sexo colgaba en el aire, mientras que ella se tocaba encima de Anthony. Sus fluidos caían encima de su rival, quien tenía una expresión atónita en su rostro. Aquello le excitaba más de lo que estaba dispuesto a demostrar, pues su miembro fue creciendo hasta más no poder, y entonces empezó a pulsar. Con cada pulsación estaba más cerca de tocar el sexo de Raven, siempre tocando un muslo o deslizando su punta por los labios inferiores de ella, pero nunca penetrándola. No todavía. Ella tan sólo se quedaba tocándose encima de él, con una mano en su sexo y la otra en uno de sus senos. Sus dientes no hacían sino morderse los labios, no queriendo que el otro escuchara lo fuerte que podía gemir.

En más de una ocasión Anthony intentó masturbarse, pero cuando su mano llegaba hasta su miembro, Raven soltaba su seno y le golpeaba en la mano. Así lo estuvo torturando un buen rato, hasta que por fin fue ella quien deslizo la mano hasta su boca. Lamió sus dedos, mojándolos tanto como pudo, y luego pasó a tocarle la base del miembro. El pene de Anthony reaccionó ante la sensación de los cálidos dedos de Raven, pues puedo jurar que creció un centímetro más. Pero en lugar de masturbarlo, empezó a lubricarlo, empezando con la base y luego trabajando con la cabeza. El miembro de Anthony, que ya no podía más, empezaba a botar semen preliminar, pero

Raven era una empleada astuta de varios recursos, así que usó el líquido blanco para continuar con el proceso de lubricación.

Una vez que su pene estuvo listo, ella continuó usando el semen de Anthony y sus propios jugos vaginales no para lubricarse el sexo, sino el ano. Su rival no era capaz de comprender la suerte que tenía, pues no había deseado nada con tanta intensidad en los últimos minutos que penetrarle por detrás. Una vez que ella se sintió lista, se metió el pene lo más profundo que pudo. Era evidente que le dolía, pero era ella misma quien se estaba presionando. Anthony no era más que un espectador, como yo, excepto que él era el miembro de la audiencia al que el mago pedía que se acercara a la tarima. Sí, definitivamente era el miembro.

Si empezaron a coger lento, eso no duró mucho. Raven empezó a cabalgarlo con fuerza, y Anthony hizo lo mejor que pudo para resistirse. Mientras el culo de ella rebotaba en las piernas de su rival, ella levantaba su camisa para observar el pecho cuadrado y muy ejercitado de él. Entonces, se mojaba más y continuaba montándolo con mayor rapidez, dejando escapar unos gemidos sensuales y en voz baja. A veces inclinaba su cuerpo para lamer los pezones de Anthony, quien lo disfrutaba mucho, pero entonces él la tiraba del lado de su cabello púrpura que no estaba rapado, haciendo que se arqueara hacia atrás y dejara que sus senos se movieran libremente en el aire, rebotando al mismo ritmo que marcaba ella.

En poco tiempo, empezó la conclusión. Anthony sintió que llegaba su límite, y se hizo evidente cuando empezó a gruñir y a apretar con fuerza las bolsas de plástico y las camisas a su alrededor, dañando la mercancía sin reparo alguno. No le importaba, claro. En ese momento sólo estaba el culo de Raven, y la imagen mental de sus senos rebotando sobre su rostro. Era más de lo que cualquier ser humano podría soportar. Pasó de apretar las camisas a tomar a Raven de los muslos cubiertos por las medias rotas, y con gran habilidad, la levantó. Pudo haber sido la adrenalina del sexo, pero logró levantar su peso y el de ella, hasta colocarla encima de uno de los montones de cajas de cartón. Él quería seguir penetrándola, pero acabó ahí mismo, justo afuera de su sexo. La explosión los lleno a los dos de líquido blanco.

Entonces, volvieron a ser los mismos de siempre. Raven se enfadó porque le habían acabado en el sexo, estómago y rostro a la vez, haciendo un desastre de ella. Insultó a Anthony, quien parecía que iba a desmayarse de placer sobre la mercancía, y procedió a limpiarse. No fue hasta que los dos estuvieron vestidos y limpios que se dieron cuenta de mi presencia en el almacén. Sin decir palabra alguna, los dos volvieron a sus tareas, con los rostros rojos de vergüenza, a limpiar los líquidos encima de la dañada mercancía".

Se hizo un silencio en mi apartamento, en la que el sastre, que ahora sabía que se llamaba Bartolomeo Williams (era como si el nombre lo hubiera condenado a un oficio como el de sastre) permaneció de pie, observándome atentamente para ver la reacción en mi rostro. Yo, en cambio, me empezaba a dar cuenta de que había terminado la historia.

—¿Eso es todo?

—¿Qué quieres decir con que eso es todo? —dijo Bartolomeo. Parecía casi indignado de no recibir una reacción más potente de su espectadora—. Debes de haber escuchado muchas cosas para que no te afecte en nada, ¿eh?

Me encogí de hombros, un poco avergonzada por la respuesta de él. Me levanté de mi asiento, y caminé hacia la ventana, pensando en Anthony y Raven, y en cómo no había mucha diferencia de todos los otros encuentros que había escuchado. Lo único que hacía era reforzar mi idea de que parecía pasarnos a todos tarde o temprano.

Bartolomeo dio un paso al frente, como si se hiciera notar con su presencia, y me voltee a verlo.

—Ellos siguieron siendo rivales después de ese primer encuentro.

—¿Primer? ¿Hubo más?

—Así es —contestó el sastre, y se guardó las manos en los bolsillos—. Ahí está el secreto detrás de la historia, y es que siguieron peleando y cogiendo. El sexo nunca cambió la relación de ellos. Nunca hubo sentimientos de amor involucrados. Para ellos, coger era como trabajar en un mismo lugar, ser parte de un equipo, pero donde no necesariamente tenían que agradarse.

—Hay algo de esa definición de sexo sin compromiso que me atrae, ¿pero acaso no hay lugar para el amor? —dije, y casi en seguida me arrepentí de mis palabras. Me sentía como una tonta al darle tanta importancia a sentimientos, cuando la persona con la que hablaba era un sastre con tendencias de voyerista.

Bartolomeo sonrió una vez más, y se dirigió hacia la puerta. La abrió, y ya estaba listo para irse, pero se detuvo en el marco de la entrada. Tras pensarlo un segundo, se dio media vuelta y me observó con atención, igual a como había hecho cuando esperaba una reacción mía por su historia.

—Si te interesa saber, yo conocí a mi esposa en Samson&Sons, y puedes apostar que lo hicimos en el almacén en más de una ocasión. Llevamos más de diez años juntos. —Bartolomeo salió del apartamento, y mientras que desaparecía por el pasillo, se fue gritando—. ¡Pasaré más tarde a dejar tu vestido con el guardia del edificio!

El eco de la voz de Bartolomeo se fue apagando, y quedé sola en mi apartamento, con la puerta principal abierta. Por un momento, dudé de si la historia de Anthony y Raven en la Rivadavia se traba de Bartolomeo y su esposa en Samson$Sons.

7. EL SPA

Tras mi encuentro con el sastre, me dediqué a revisar el mensaje de mi teléfono que me habían despertado de un letargo alcohólico, pero que había ignorado por completo una vez que llegó Bartolomeo Williams. Como era de esperarse, se trataba de David, quien desde hacía una media hora iba en camino al centro de masajes en donde continuaríamos nuestra cacería de la misteriosa celebridad. Como ya lo había hecho esperar bastante y no quería molestarlo, me vestí con lo primero que encontré en mi armario, lo que cual era un vestido de flores perfecto para los veranos y unas botas negras. Tomé las llaves de mi apartamento y salí de él, corriendo para llegar a tiempo al Mind&Body Spa.

Este centro de masajes, para desgracia mía, estaba a unos treinta minutos en autobús, acercándose al borde de la ciudad. Apartado donde estaba, los alrededores eran más suburbanos que citadinos, con árboles y flores adornando el lugar. El edificio tenía un toque moderno, como una caja blanca de proporciones asimétricas, con grandes ventanas y una piscina en la que varios clientes parecían divertirse. Sólo una persona no parecía estarla pasando bien, y era mi compañero de trabajo, esperando en la entrada del lugar.

—¿Qué demonios, Maggie? —dijo David, al verme llegar. Caminó con paso rápido desde la entrada hasta donde yo estaba—. Llevo más de una hora esperándote.

—¡Lo siento, David! Pero no todos podemos emborracharnos y levantarnos temprano al día siguiente. Soy bebedora amateur, no profesional —dije, arrojando una indirecta a su dirección, la cual pareció esquivar al darle vuelta a sus ojos—. Además, no contaba con que este lugar quedara tan lejos.

—¿Tengo que decirte que busques las cosas que investigamos por internet? ¿Por qué no...? —David se interrumpió, pasó una mano por su boca y se dio media vuelta, en dirección al centro de masajes, esperando que lo siguiera—. Lo siento, a veces olvido que no es tu trabajo hacer de investigadora.

Pensé en contestarle algo, pero sentí que David no estaba de buen humor, y tenía la sospecha de que no se debía a la larga espera, sino a algo mucho más profundo. No quise preguntarle, así que mantuve una distancia prudente y lo seguí de cerca.

Ambos entramos al Mind&Body Spa, donde pasamos por unas largas columnas hasta llegar a un escritorio de color rojo oscuro. Detrás, una recepcionista de origen asiático nos atendió con una sonrisa. David pidió por Cristy, la misma chica que trabajo en la veterinaria que visité ayer, y la misma chica que había estado con la persona importante que estábamos buscando. Por una vez, ya estaba predispuesta a escuchar una historia de sexo en el trabajo, e incluso me emocionaba.

La recepcionista nos llevó por un pasillo que conectaba con varios cuartos pequeños, como si se tratara de un hotel. Mientras caminábamos entre paredes verdes, la recepcionista nos iba hablando un poco del local, contándonos cómo funcionaban sus servicios y que los pagos se hacían directamente a la masajista de turno. Finalmente, tras cruzar por una esquina del pasillo a la derecha, llegamos a una puerta blanca en la colgaba un letrero que leía "15 A", y entramos a la habitación.

Lo primero que percibí fue la música, hecha para relajar a los clientes con tonos orientales. El aire olía a incienso, y todo el cuarto se sentía apagado por los colores pardos y rojo oscuro, con dos camas de masajes de color negro, una pasarela donde colgaban toallas de varios colores y un estante lleno de varios tipos de lociones corporales. Al fondo de la pequeña habitación había una segunda puerta, tal vez un vestuario para cambiarse, de la que salió una pequeña mujer pelirroja de ojos verdes. A juzgar por su físico, debía de tratarse de Cristy.

La recepcionista se despidió de nosotros y nos dejó a solas con la masajista y con la incómoda tarea de preguntarle por su vida sexual.

—Muy bien, quien quiera que vaya a recibir el masaje, ha de tomar una de las toalla para cubrirse y desnudarse en el vestidor —dijo, señalando la puerta al fondo de la que había salido. A pesar de ser pequeña, su voz parecía llena de confianza—. El otro puede sentarse en una de las camillas, si quiere. ¿Solo uno recibirá el masaje, o los dos?

—Bueno, yo sólo...

—¿Usted? Vale, no hay problema —dijo Cristy, interrumpiéndole. Le tomó de la mano para guiarlo hasta el vestidor—. Sólo vaya atrás y quítese la ropa. Sin pena, ¿eh? Es sólo un masaje, así que no tiene nada de qué preocuparse. Reconozco a las personas tímidas en seguida.

En todo el tiempo en que estuvo hablando, David intentó interrumpirla para decirle que no veníamos a eso, pero fue empujado por ella para ir hasta la habitación de atrás. Me resultaba curioso, ya que David no era una persona tímida, pero era como si Cristy le hubiera ganado en una competencia de extrovertidos. Ni siquiera pudo elegir su toalla, pues Cristy la tomó por él, se la dio, y cerró la puerta del vestidor, quedando ella y yo solas.

—Bueno, no sé si tú también vienes por el masaje o si sólo te aseguras de que tu novio no reciba ningún final feliz —dijo, y se rió de su propio chiste—. Entonces, ¿qué va a ser? ¿Masaje, o sólo observar?

—De hecho, no vinimos por un masaje —dije, intentando ser firme en mi voz, para no fracasar socialmente como acababa de hacerlo David—. Estamos más interesados en saber detalles de cierto... encuentro que tuviste.

—Oh, ¿vienen por eso? —La voz de Cristy pasó de estar animada a soltar un suspiro de frustración—. Escucha, si lo de ustedes es estimulación de cuentos eróticos, sólo pongan una toalla en una de las camillas, siéntense y mastúrbense, pero quiero que sepan que cobro el doble de un masaje por eso.

—No vinimos por esas razones —dije, enrojeciendo al instante.

—No los estoy juzgando, ¿saben? Lo que les sirva para

mejorar su vida sexual —dijo Cristy con una sonrisa. Se sentó en una de las camillas contrarias a la mía—. Entonces, quieres saber que pasó aquí, ¿cierto?

Asentí con la cabeza. En ese momento, David salió del vestidor, con sólo una toalla morada cubriéndole de la cintura para abajo. Su pecho era grande y pálido, pero no estaba definido y se notaba que llevaba tiempo sin ejercitarse. Además, era lampiño, o debía de afeitarse. Verlo en esa situación me hizo aguantar una risa. Cristy la notó, y sonrió al ver a David. Le hizo señales para que se acercara y se sentara a mi lado.

—Ven, querido. Justo estaba empezando a contar una historia.

"Todo ocurrió hace tan sólo unos días. No tenía ni una semana trabajando aquí. Te hace pensar, ¿no? Las personas siempre imaginan que en los lugares de masaje sólo trabajan mujeres y hombres que son prostitutos de lado. Que si un cliente les paga de mas, están dispuestos a dejar que se aprovechen de su cuerpo, pero la verdad es diferente. Después de todo, fui yo la que trajo lo de ser zorra a este lugar. Digo, pagar las cuentas es más duro cada día, ¿saben?

No es ningún secreto que Mind&Body atienda a algunos clientes más importantes que a otros, y en esta ocasión no fue diferente. De hecho, fue un lunes cuando me tocó atender a dos caballeros, altos, en forma y vestidos con traje y corbata. Debían de ser abogados, o jefes de una importante compañía. Al menos, eso pensé al principio, pero luego me percaté de que sus trajes eran de alta costura, algo como Samson&Sons o algo por ese estilo, y la cantidad de dinero que me pagaron después cubrió mi alquiler de este mes. Nada mal por una hora de trabajo, pero claro, me estoy adelantando a los hechos.

Los dos hombres eran gentiles y amables. Muy buena onda. No debían de tener más de treinta años. Uno de ellos tenía el cabello largo, agarrado en una cola, y una fuerte mandíbula. El otro, el de cabello liso, ese si era una visión divina. Su rostro parecía hecho por ángeles, ¿saben? Aunque el otro era de constitución más fuerte y mejor trabajada, el verdadero galán era su amigo, el hombre delgado de la negra barba y el cabello liso.

En fin, tras entablar conversación casual, les pedí a los caballeros que, quien fuera a recibir el masaje, que se cambiara en el vestidor de atrás, igual que le pedí a tu amigo de la toalla morada. Sin embargo, el hombre de la barba me llevó aparte, tomándome suavemente del brazo, y me pidió si podía darnos un masaje a los dos al mismo tiempo. Al principio me sentí extrañada por esta propuesta, pero me dijo que se debía a que su musculoso amigo tenía problemas de intimidad, y que no se desnudaría a menos que él lo hiciera también. Luego me di cuenta de que lo de los problemas de intimidad era una farsa, pues nadie con un cuerpo como ese puede sentirse inseguro de físico.

Les dije que si no les importaba pagar por dos masajes, no tendría problemas, que me iría turnando entre los dos. Él dijo 'fantástico', yo dije 'genial', y los dos tomaron una toalla y fueron al vestidor. Al cabo de un minuto, salieron aquellos dos galanes que hicieron que me mordiera el labio inferior. El primero, el hombre del cabello largo, tenía el cuerpo de un gorila. Su espalda estaba trabajada, y se notaba que se ejercitaba regularmente, aunque tal vez le faltara algo de cardio por su contextura. Sin embargo, su amigo tenía ciertos… detalles que me volvieron loca. Su cuerpo era largo y pálido, casi frágil, pero luego pasabas los ojos por su pecho y su abdomen y podías notar sus músculos cuadrados, casi sutilmente. Y las entradas de su cintura, que formaban hendiduras en dirección a su miembro, apenas cubierto por una ligera toalla, hacían que perdiera el control.

Con una voz que tartamudeaba, les pedí a los dos que se acostaran boca abajo en las camillas, las mismas en las que estamos sentados. No se preocupen, las limpian todos los días. No tienen que poner esa expresión de asco. En fin, el hombre musculoso se acostó primero, posando su rostro sobre la hendidura de la cama, de forma que desplegaba su fuerte y sensual espalda por toda la camilla, sin poder ver a ningún lado que no fuera el suelo. Pero en cambio, su amigo se quitó la toalla frente a mí. Sin miedo alguno, dejó que viera su delgado y largo pene, a unos centímetros de llegarle a la rodilla. No sé si era su forma de coquetear conmigo, pero ni siquiera me miró. Era como si estuviera acostumbrado a desnudarse en frente de otras personas.

Se acostó igual que su compañero, con el rostro boca abajo, pero con su hermoso y redondo culo al aire. Me sentí un poco intimidada de tocarle, pero tenía que trabajar. Me arremangué las mangas del uniforme, la misma camisa blanca que me ven usar, y decidí empezar con su amigo, el musculoso. Tocar su cuello y sus hombros era como apretar una plastilina congelada. Era duro, casi tosco, pero caliente al tacto. Su piel bronceada le daba un apasionante color canela, y recorrer su espina con mis dedos me hacían entrar un trance hipnotizante. Con cada punto de tensión que liberaba con mis dedos, podía escuchar pequeños sonidos de placer provenientes del hombre acostado. Y mientras el disfrutaba de cómo yo lo tocaba, yo disfrutaba pensando en cómo alguien como él me tocaría a mí.

Pasados diez minutos, decidí cambiar a su compañero. Exhausto de placer, el hombre musculoso se quedó descansado boca abajo sobre la camilla, mientras yo me encargaba de su amigo. Pero al voltearme a atender al otro cliente, él no estaba boca abajo. Completamente desnudo, el hombre de la barba estaba recostado de lado sobre la camilla, con una sonrisa atrevida en su rostro. Una mano descansaba sobre su mejilla, mientras que la otra me hacia una señal con el dedo para que me acercara. Lentamente, y con algo de miedo, caminé hasta estar a su lado. El tan sólo se levantó de la camilla y se detuvo frente a mí, demostrando su gran tamaño con dos cabezas más que yo. Empecé a temblar, y él se inclinó para besarme los labios, de una forma tierna que no hubiera esperado de él. Al separarse, puso su dedo encima de sus labios, indicando que yo debía de hacer silencio. Yo asentí con la cabeza, mordiendo mi labio inferior en una expresión entre la excitación y el miedo, como si me hubiera puesto a su servicio completamente.

Entonces, él me sonrió y se inclinó, hasta ponerse de cuclillas. Sin hacer el menor ruido, me desabotonó mi pantalón negro con mucho cuidado. Primero un botón, y luego el segundo. Se aferró a la tela de jean, y descendió los pantalones con cuidado hasta que estuvieron en mis talones. Enrojecí de vergüenza, pero no dije ni hice nada. Estaba como paralizada de la excitación. Entonces, sentí las delgadas manos subir por mis piernas, pasando por mis muslos hasta llegar a mi culo. Sus dedos se aferraron en la línea entre mis bragas color rosa y mi piel, y empujó mi cintura hacia su rostro. Su boca pasó por encima de la tela de mis bragas, usando sólo la fuerza de su lengua para estimularme, primero como un pincel que pinta de arriba abajo, y luego haciendo lentos círculos, pasando justo por encima de mi clítoris. Los cabellos de su barba me hacían cosquillas entre mis piernas, pero aquel aspecto varonil le daba una imagen que, al observar hacia abajo, hacía que me mojara en seguida. Si así se sentía por encima de mis bragas, entonces no podía esperar a que lo hiciera sin ninguna tela separándonos.

Así estuvo por varios minutos, en las que yo tenía que aferrarme con fuerza a su cabello con una mano y con la otra apretar mi boca para no gemir ni gritar, para no alterar a mi otro cliente. Entonces, él se levantó, con una mano aún en mi culo, pero la otra en cambio pasando por mi espalda a medida que él subía, y luego bajando por mi abdomen, hasta meterse en mis bragas húmedas por su saliva y tocarme el sexo. Me emocioné al pensar que empezaría a masturbarme, hasta que escuché la voz de su compañero y me congelé de miedo en el acto.

'¿Cuándo me toca a mí?' dijo, y me volteé a verle rápidamente. Por suerte, aún tenía la cabeza metida en la hendidura de la camilla. Me separé del sensual hombre que me había estado dando placer con su boca hace tan sólo unos segundos, quien tan sólo se sentó sobre la camilla, y regresé a la realidad, aun temblando por lo que acababa de ocurrir. Me subí los pantalones, y tomé una toalla de la pasarela detrás de ustedes, y le pedí al hombre musculoso que se diera la media vuelta. Rápidamente, le coloqué la toalla encima de sus ojos, dejando libres la nariz y la boca, y le dije que lo que estaba haciendo era para que la luz del techo no le hiciera daño a los ojos. Él se encogió de hombros y permaneció quieto boca arriba sobre la camilla, mientras yo tomaba una loción del estante y la aplicaba sobre el definido pecho de mi cliente.

Restregando el líquido por toda su piel, pensé en voltear, pero tenía miedo de lo que estaba detrás de mii. Quería el placer y al hombre que me lo había estado dando, pero toda esa situación era tan irreal que de alguna manera me daba miedo enfrentarla. Sin embargo, no tuve que hacerlo. Sentí las manos de él bajar mis pantalones nuevamente, esta vez por detrás y con mucha más facilidad ya que no tenía que lidiar con los botones. Pero ahora, en lugar de sólo bajar mis pantalones, también me quitó las bragas. Una de sus manos se aferró de mi cabello, mientras que la otra se deslizaba por mi mejilla, hasta llegar a mi boca. Le lamí los dedos, y entonces su mano que tenía mi saliva desapareció detrás de mí, hasta que la sentí en mis labios de abajo. Tras lubricarme, hubo una pausa donde sentí el frío de la habitación entre mis piernas, y de repente, una poderosa fuerza que me empujaba por el culo. Primero, la cabeza se restregó entre mis labios, y luego fue entrando por mi vagina. Primero la punta, luego el grosor del cuerpo hasta llegar a la base. Dios, era demasiado pene para mi cuerpo, y la presión era tanta que casi me caigo encima de su amigo musculoso.

En completo silencio, el galán de la barba empezó a mover su cintura, penetrándome con un poco más de fuerza pero sin cruzar un límite en donde pudiera despertar a su amigo del letargo de un desenfocado masaje. No podía pensar en otra cosa, y los movimientos de mis manos por encima del pecho de mi cliente se volvieron distraídos, transformándose más en caricias que en un verdadero masaje. En mi mente y en mi cuerpo sólo había una sensación, y era la del largo y silencioso pene que me penetraba desde atrás.

Con todo lo que tenía en mente, que no era más que sexo, he intentado aguantarme los gemidos, cometí el error de dejar que mis manos divagaran mucho. Sin querer, caminaron por todo el pecho de mi cliente, hasta deslizarse por debajo de la blanca toalla y tocarle el miembro. En seguida, me congelé del miedo, y pensé en que me despedirían por hacer eso. Pero todo pensamiento de terror se disipó cuando vi la sonrisa en el rostro del hombre musculoso, con la toalla aun cubriéndole los ojos, así que no podía ver como su amigo me partía en dos y me llevaba a un mundo de sólo placer y lujuria con su silenciosa cogida.

Cómo ya tenía su miembro en mis manos, no podía hacer otra cosa que darle el famoso masaje feliz. Con tan solo abrir y cerrar la piel de su pene dos veces, se puso erecto. Su miembro era más pequeño que el de su amigo, pero más gordo, y la punta parecía desviada hacia un lado, hacia donde estaba yo. Era como si estuviera hecha para mi boca. Quité la toalla de él por completo y empecé a masturbarlo lentamente, inclinándome de vez en cuando para meterme su cabeza en mi boca, y chupar de ella con mis labios como si fuera una cereza (y es que también tenía el color rojo de una). Si pasaba mucho tiempo dándole sexo oral, el cliente de atrás me halaba del cabello y me levantaba la cabeza. Entonces, hundía su miembro tan profundo como pudiera en mí, sin importarle si me dolía o no, como para recordarle a quien le pertenecía yo. Y claro, aunque no fuera cierto, nada me excitaba tanto como ser dominada por un hombre más alto y fuerte que yo, así que más de una vez cometí el atrevido pecado de enfocarme en dar la mejor mamada del mundo a mi cliente que aun residía sobre la camilla. De esa forma, el hombre de atrás tendría que volver a dominarme, arqueando mi espalda con halar de mi cabello naranja, y así aprovechaba para levantar mi culo y dejar que me castigara como él quisiera, sea apretándome con fuerza en una nalga para no hacer ruido o metérmela tan fuerte como pudiese.

Así estuvimos por un buen rato, hasta que me sentí exhausta de cómo me estaban haciendo sentir. Jadeaba en cada momento en que no tuviera un pene en mi boca, y sentía toda mi camisa sudada y acalorada. Pero el placer entre mis piernas era tan grande que estaría acabando pronto. Un par de estocadas más y, en cuestión de segundos, sentí mis propios fluidos correrme por debajo de las piernas, mojando mis muslos como nunca nadie lo había hecho. Entonces, no pude contenerme, y lance un alto gemido de placer que hizo que el hombre musculoso empezara a acabar también. Debido a la tensión del momento en la que todo mi cuerpo estaba temblando, empecé a masturbar con mayor rapidez sin siquiera darme cuenta, y al gemir, el hombre musculoso acabó. Su pene eyaculó como una fuente de semen, explotando de abajo hacia arriba, cayendo su contenido en mi barbilla, cuello y senos.

Casi en seguida, una vez que acabamos, el galán de la barba se separó de mí, y volvió a su camilla. Tomó su toalla del suelo y cubrió su enorme miembro erecto con ella, y se quedó boca abajo en su camilla. Había sido el único en no acabar, pero no parecía importarle, pues me dedicó una pícara sonrisa antes de ocultar su rostro en la hendidura de la camilla.

Su amigo, por otro lado, tras descansar de la gran acabada de placer, se quitó la toalla de los ojos y se sentó, observando el estado en que me había dejado, incluyendo mi falta de pantalones y bragas y los líquidos que mojaban toda esa zona. Por otro lado, yo me había dejado caer en el suelo por el orgasmo que había dejado mis piernas inutilizadas.

'Maldita sea, eso sí que estuvo bueno'. Fue lo que dijo al verme así. No preguntó nada de porque yo estaba como estaba, tal vez para no alertar a su amigo, pero yo pienso que él creía que me estaba masturbando mientras le daba placer a él.

El hombre musculoso entonces me dio una especie de gracias que no pude escuchar bien por yo estar en otro planeta en ese momento, fue hasta el vestidor y desapareció detrás de mí.

Quise levantarme y terminar de coger con el hombre de la barba, pero él tan sólo se levantó de la camilla, me sonrió, y puso un dedo entre sus labios, una vez más pidiendo mi silencio. Ahí nos quedamos, viéndonos el uno al otro, mientras que yo volvía a vestirme con la ropa que había quedado mojada de sudor y fluidos. Al salir su amigo, el hombre de la barba escondió su rostro en la camilla. Su amigo le dijo algo de que lo esperaba en el área de la piscina, y él tan sólo le respondió con un pulgar arriba.

Pero cuando nos dejó solos, él tan sólo me pidió un masaje. Pensé que al menos exigiría que lo hiciera acabar, pero no quería nada más. Cuando le pregunté la razón, me dijo que se debía a que él sólo quería que su amigo y yo la pasáramos bien, y que no le importaba no acabar, sino hacer feliz a una chica tan hermosa como yo. Sus palabras, no las mías, pero jamás conocí a un hombre tan increíble como ese. Bueno, sólo una vez, cuando trabajaba en una veterinaria, pero esa ya es otra historia".

—Y bueno, eso fue mi última —dijo Cristy, tomándose de las manos—. Si vienen la próxima semana, tal vez tenga algo nuevo para ustedes.

—¿Eso es todo? —dijo David, con una ceja levantada—. ¿Alguno de ellos era famoso, o conocido?

—No lo creo —contestó Cristy, observando el techo como si intentara recordar algo—. Una vez estuve con alguien importante, aunque no creo que sea muy famoso. Yo sabía quién era porque amo la revista para la que trabaja, ¿saben?

David y yo nos miramos a los ojos. Sí, buscábamos a alguien importante, alguien adinerado, pero nos dimos cuenta en ese momento que no necesariamente tenía que ser alguien famoso. Podríamos estar tras la pista de un escándalo sexual que podría repercutir en los medios, pero que no afectaría la vida de nadie… excepto la del hombre importante.

—¡Ese! ¡Ese es el tipo que estamos buscando! —gritó

David de repente, y se levantó de un salto. Su toalla casi cae al suelo, y reveló un poco de su parte trasera, pero rápidamente la recogió, con el rostro enrojecido por ello—. Necesitamos un nombre, Cristy.

Cristy se levantó de la camilla de masajes, y se puso detrás de ella, como adoptando una posición de resguardo.

—¿Ustedes son policías, o algo? —preguntó Cristy, cautelosa. Su voz había pasado de tener un tono jovial a uno de preocupación—. No creo que deba hacer eso. No sería correcto. Además, aun nos estamos viendo.

David pareció que iba a decir algo, pero se quedó callado. Tras pensarlo un momento, se fue hasta el vestidor a cambiarse. Tras un incómodo minuto en el que Cristy y yo nos quedamos en silencio, sin saber si observarnos o evitar las miradas, o si conversar de algo, o siquiera sin saber qué iba a ocurrir, David apareció, esta vez vestido con su clásica camisa morada y sus pantalones negros.

—Maggie, espérame afuera —dijo David, y me dirigió una sonrisa—. Yo me encargo.

—¿Qué harás?

—Un investigador no revela sus secretos tan fácilmente.

Por un momento sentí que David iba a hacerle daño o algo, pero su tono de voz juguetón me calmó un poco. Asentí con la cabeza, y decidí salir al pasillo, cruzar toda la instalación hasta llegar a la recepción, donde me senté a leer de un montón de revistas que no habían actualizado en 10 años. Incluso había algunas ediciones viejas de Platonic, de antes de que llegara a la empresa. Tras hojearlas por encima, me di cuenta que algunas tenían el nombre de Cristy escrito en marcador negro. "Debe de ser cliente nuestro" pensé, con una sonrisa.

Iba por mi segunda revista, leyendo sobre la cirugía estética de un dueño de empresas de juguetes, cuando apareció David por el mismo pasillo por el que yo había salido. Pero su rostro no era el mismo. Parecía perturbado por algo. Su cuerpo incluso parecía temblar un poco. Le murmuró una despedida a la recepcionista, y pasó de largo, como si se hubiera olvidado de que yo estaba ahí. Tuve que levantarme y correr un poco para alcanzarlo, pues de paso estaba caminando a paso rápido.

Cuando por fin llegué a su lado, tuve que halarlo de la camisa.

—David, ¿Qué ocurre? —pregunté, pero no recibí nunca respuesta, ni siquiera una señal de que me había escuchado—. ¡David!

—Lo… lo siento, Maggie. —David se detuvo. Tomó aire y se volteó a observarme a los ojos, tomándome de los hombros—. Creo que es mejor que dejemos esto.

—¿Qué?

—Sí, creo que esta investigación no dará frutos. No creo que haya nadie importante o famoso al final de este camino de pistas. —David me dirigió una sonrisa que se notaba que era falsa.

—¿En serio lo vas a abandonar ahora? —pregunté, incapaz de creer lo que estaba escuchando—. ¿Después de todo el tiempo que hemos invertido? ¿A pesar de lo apasionado que estabas por conseguir esta noticia?

Pero David no contestó. Tan sólo se guardó las manos en los bolsillos, y empezó a caminar solo por la calle. Quería respuestas, pero sentí que en ese momento quería estar solo. Sin embargo, no podía sino pensar en qué lo había hecho sentirse así.

8. LA FARMACIA

De vuelta a mi casa, tuve menos de una hora para bañarme y arreglarme antes de que Alphonse Rieter me buscara para el evento de gala. Hubiera llegado más temprano si a David no le hubiera dado un ataque emocional en el Spa y me hubiera llevado a mi casa con su auto, pero en vez de eso tuve que regresarme en autobús. Y para hacer las cosas peores, la ciudad se había convertido en un tráfico infinito.

Al llegar al edificio, el conserje me dio el vestido que debió de haberme dejado Bartolomeo de Samson&Sons, además de un par de zapatos de tacón que no esperaba. Le di las gracias con apuro, sin dejar que contestara de vuelta. Ni siquiera me dio tiempo de ver el vestido a través de la cubierta de plástico o de examinar los zapatos. Al entrar a mi apartamento, tan sólo arrojé todo al sofá, me desvestí y di un salto hacia la ducha. El agua estaba fría, y debí de haber pegado un grito que se escuchó por todo el edificio, pero no tuve opción que aguantarme.

Al salir de la ducha, empezó la verdadera carrera. En tan sólo 20 minutos, fui capaz de arreglarme el cabello, maquillarme y cenar unos macarrones con queso. De este logro siempre estaré orgullosa. Una vez que terminé de lavar el bol en donde había residido mi cena, le quité el plástico al vestido, y entonces toda la adrenalina del momento desapareció. Dejé de estar apurada, y era como si el tiempo se hubiera detenido a mí alrededor. No soy una persona frívola, pero ese vestido era el más hermoso que había tenido o incluso visto en toda mi vida. Era largo y negro, con cortes diagonales y tela transparente en el área del pecho. Era sensual y elegante, un poco atrevido, pero con mucha clase. Y tenía unos pequeños botones dorados en formas de lunas que hicieron que me enamorara.

A pesar de que había hecho todo en un estado de ansiedad y rapidez, me vestí lentamente, como si disfrutara ello. Una vez que estuve vestida, apreté mis manos en forma de puños y caminé hacia el espejo del baño, temerosa de lo que vería en el reflejo. Pero no vi lo mismo que había visto en el espejo del ascensor, cuando estuve al lado de Alphonse Rieter. No era la misma chica desaliñada que pertenecía a otro mundo. Estaba... hermosa. Nunca creí que podría verme tan bien, y todo con un simple vestido y un poco más de maquillaje. Parecía completa vanidad, pero no pude evitar derramar una lágrima. Me sentía bien conmigo misma, como la persona que quería ser. Decidí entonces que, en lugar de llevar el cabello suelto, me haría un elegante moño que hiciera juego con mi nuevo look. Esta vez, no quería esconder mi rostro. Esta vez, quería ser alguien que pudiera estar al lado de Alphonse Rieter.

Y pensando en él, mi celular empezó a vibrar con fuerza. Era un mensaje de Alphonse. Llegaría en un par de minutos.

Sin embargo, ya no era capaz de apurarme. Me lavé los dientes, me terminé de arreglar, me puse las medias y luego llegó la hora de ponerme los zapatos. Al igual que con el vestido, me tomé mi tiempo, primero en observarlos, luego en probarlos. Eran color crema, de tacón corto, una atrevida combinación al estar vistiendo sólo de negro, pero que de alguna forma me sentaba bien. Me los puse lentamente, y amarré con cuidado la pequeña correa encima de cada uno. Me encajaban a la perfección.

Apenas me levanté para intentar caminar con ellos, recibí un segundo mensaje de mi jefe. Esta vez decía que estaba abajo, esperándome. Por estúpido que suene, al sentirme sola en mi apartamento, completamente vestida y más hermosa de lo que jamás había estado, con el hombre de mis sueños esperándome abajo, me sentí como una niña, y no pude evitar sonreír. Tomé la cartera más pequeña y elegante que tenía, una dorada que combinaba con los botones de mi vestido, las llaves de mi apartamento, y salí a pasar una gran noche con un gran hombre.

Al llegar a las escaleras del edificio, encontré el auto de Alphonse Rieter aparcado en frente, con su dueño recostado de espaldas a una de las puertas, con sus manos en los bolsillos.

No pensé que fuera posible que se viera mejor de lo que se veía normalmente, ya que siempre vestía elegante en la oficina y siempre estaba arreglado. Pero en contra de todas las probabilidades, y con un traje mucho más caro de lo usual y una esencia de colonia divina, mi corazón empezaba a latir con rapidez. Pero lo que hizo que se me revolviera el estómago fue la forma en la que me vio bajar las escaleras. Su rostro pasó de estar distraído a convertirse en una expresión de sorpresa. Tuvo que incluso enderezarse y separarse del auto, sin ser capaz de cerrar la boca. Creo que eso me hizo sonreír como una tonta, y enrojecí un poco por eso.

— Vaya, Maggie… no sé si sea apropiado que diga esto, siendo compañeros laborales y eso, pero… luces muy hermosa esta noche —dijo Alphonse, con una estúpida sonrisa en su rostro que de alguna forma hacía que se viera mejor.

— Gra… gracias, señor… —dije, con mi garganta hecha un nudo por el cumplido que acababa de escuchar—. Digo, Alphonse…

— Oye, no tienes de qué estar nerviosa. —Alphonse se acercó a mí para saludarme como era debido, con un beso en la mejilla que duró más de lo aceptado socialmente. Pensé en que tal vez, me estaba coqueteando, hasta que se separó de mí—. Después de todo, no es más que un evento social de Platonic. No hay nada que temer.

Sonreí, aun sin saber si fue una sonrisa triste o una genuina. Alphonse no pareció darse cuenta. Tan sólo me abrió la puerta de su auto, un gesto caballeroso que agradecí con una inclinación de la cabeza. Tras subirme, Alphonse cerró la puerta detrás de mí, caminó hasta subirse al lado del piloto, y nos fuimos directos a la fiesta.

El viaje en auto fue un completo silencio, igual que la primera vez en que me había montado en este auto. Llegamos a una parte a las afueras de la ciudad famosa por su estado de vida lujoso. Pasamos por casas y mansiones con jardines extravagantes y fuentes en las entradas. Pero donde nos detuvimos no fue un club privado o un salón de fiestas alquilado, sino un alto y lujoso edificio con un diseño arquitectónico muy moderno. El color blanco de la estructura era impecable, como si no tuviera más de unas semanas.

Una vez más, Alphonse me abrió la puerta, y me tomó de la mano para ayudarme a salir. Noté varios autos aparcados en el costal de la calle, cada uno más costoso que el otro. Suficiente para sentirme incómoda con la clase de gente con la que tendría que lidiar en esa fiesta. Caminamos hasta la entrada, donde un guardia saludó a Alphonse con la mayor naturalidad del mundo, como si lo conociera desde hace tiempo. Nos subimos a un espacioso ascensor con barandas de oro a los lados y paredes acolchadas con cuero. De reojo, observé que Alphonse apretaba el botón del último piso, un botón con la letra "P" enmarcada en oro.

—Bueno, es hora de lidiar con todos —dijo mi jefe de repente, con sus manos en los bolsillos mientras subía el ascensor—. Puedes tomarme del brazo, si así quieres.

—¿Perdón? —Estaba segura de que había alucinado esa última frase.

—Es un evento formal, y ya que vienes como mi acompañante, es lo apropiado —contestó Alphonse. De repente, la sonrisa de su rostro se borró por completo y fue reemplazada por unas mejillas enrojecidas, como si se hubiera percatado de cómo se escuchaba aquello—. Es sólo una formalidad, realmente. No significa nada, y no tienes que hacerlo si te incomoda.

Aspiré un poco de aire, al ver que el ascensor se detenía. Intentado parecer llena de confianza, pasé mi mano por su brazo, y le dediqué una sonrisa. No había porque estar nerviosa. Después de todo, sólo se trataba de una formalidad. Entonces, ¿por qué mis piernas tiemblan tanto? Y para mayor terror, una frase me paralizó en seguida.

—Espero que te guste mi apartamento.

Quise pensar en toda esa situación. No era un evento de la

compañía que se celebraba en cualquier lado, sino en su apartamento, y siendo el anfitrión, Alphonse Rieter había salido de su propia fiesta sólo para buscarme. Y siendo su acompañante, todos los ojos estarían puestos en mí.

Sí, quise pensar en todo ello. Quise tomarme un tiempo y aclarar mis pensamientos, aceptar la oleada de nervios que se avecinaba sobre mí... pero no pude. Apenas mi jefe pronunció esa última frase, las puertas del ascensor se abrieron, y no daban hacia un pasillo, sino a un gigantesco apartamento lleno de personas conversando, comiendo y bailando, música, tragos, mesoneros y con luces de neón y de fiesta como única iluminación.

Quise decir algo, pero la música era tan alta que mis palabras se perdían por sí solas. Alphonse me llevó en medio de la multitud. Me presentó a varias personas a las que no logré escuchar por el volumen, y de las que estoy segura de que no me escucharon. Tan sólo asentía y sonreía, yendo de pequeño grupo de personas en pequeño grupo de personas. De vez en cuando, se trataba de alguien importante, Alphonse me susurraba en el oído el nombre de la persona. A veces eran gerentes de otras empresas, a veces accionistas y superiores, y otras veces tan sólo eran amigos personales. Uno de ellos, por cierto...

—¡Alphonse! ¿Dónde estabas? —dijo un tipo alto, delgado y con gafas negras a pesar de estar en un ambiente poco iluminado y de noche—. ¡Te perdiste de repente!

—Fui a buscar a mi acompañante —contestó Alphonse, y posó su mano por encima de mi cintura para acercarme a su amigo—. Maggie, te presento a Ludovic. Todos le decimos Lud.

—¡Oh la la! —Ludovic se acercó y me besó de la mano—. Enchanté, madame.

—Igual —dije, con una incómoda sonrisa.

—Eres un espécimen fascinante, pero me temo que me tengo que robar por un segundo a tu novio. Tenemos unos asuntos que discutir.

Mi mayor miedo se hacía realidad. Ignoré por completo el hecho de que Lud hubiera dicho que mi jefe era mi novio, pues estaba paralizada del terror que serían los próximos segundos. Y es que de toda la vida, nada me ha aterrado más que una cosa: estar sola en una fiesta en la que no conozco a nadie.

—Lo siento, Maggie. Volveré en un minuto.

Hice un gesto de despreocupación, pues mis palabras me fallarían si hubiera intentado hablar. Lud se llevó a Alphonse por una escalera de cristal, a un piso superior dentro del mismo apartamento.

Debido a la gran cantidad de gente en movimiento y la poca iluminación, no era capaz de visualizar el lugar como era debido. No sabía de qué color eran las paredes, o que había dentro de ellas, o a dónde podía ir. Por suerte, detrás de mí, al lado de la escalera de cristal había una puerta que daba a la terraza, a salvo de todo el ruido. Salí afuera sin pensarlo dos veces. La terraza era casi tan grande como una cancha de básquet, con plantas y bancos haciendo de adorno y luces blancas iluminando de abajo hacia arriba. Muchas parejas se escondían en las esquinas, intentando tener un poco de intimidad para poder besarse.

Yo sabía lo que tenía que hacer para sobrevivir al infierno social. Tomé un Martini de uno de los camareros que cargaban con bebidas en sus bandejas, y caminé hasta la blanca baranda de la terraza, lista para observar la hermosa vista hasta que Alphonse regresara a mi lado. Esa clase de soledad sí podía soportarla.

Sin embargo, no fue la soledad la que me acompañó en ese ínterin, sino una mujer que se acercó a mí con la lentitud de un depredador que acosa a su presa. Sus movimientos eran como los de una leona al acecho, con curvas que recordaban a una serpiente y un hermoso cabello corto y negro como las plumas de un cuervo. Si, era el caminar de una persona peligrosa y sensual, sin intenciones de ser visto pero, una vez notado, era imposible apartar la vista.

Esta mujer, que vestía de rojo, tenía un maquillaje oscuro como la noche y un porte regio que la hacía parecer una chica en una película de espías, se acercó hasta estar a mi lado, apoyándose en la baranda igual que yo. Tenía un cigarro en su mano, y parecía que había salido afuera sólo para fumar. Tras aspirar y exhalar una bocanada de humo, mantuvo sus ojos puestos sobre la hermosa vista que ofrecía el *penthouse*.

—Supongo que eres como yo y no puedes soportar el ruido —dijo la mujer, y al principio no sabía si me estaba hablando a mí—. Nunca he podido soportar a los amigos y colegas de Alphonse.

No contesté nada, pues no sabía que decir. Por si mi propia incomodidad social no fuera suficiente, y a pesar de que ya se me habían acercado mujeres extrañas como había ocurrido en el gimnasio, esta tenía un aura mística rodeándola y que debía de intimidar a todos los que hablaran con ella. Al menos, esa aura funcionaba conmigo.

—Beatrice Sullivan. Nunca Betty, o esta será una conversación muy corta.

—Margaret Tennenbaum —dije, cuando por fin entendí que se estaba presentando—. Puedes llamarme Maggie, si quieres.

—Margaret se escucha mejor. Es un nombre fuerte. No deberías dejar que otras personas jueguen con él —dijo Beatrice. Se volteó, apoyando la espalda en la baranda de la terraza—. Entonces, ¿eres la nueva chica de Alphonse?

—No somos una pareja, si a eso te refieres.

—No me refería a eso —Beatrice aspiró de su cigarro una vez más—. ¿Te lo estás cogiendo?

—¿Disculpa?

Al escuchar la pregunta de la extraña mujer, di un paso hacia atrás, un poco indignada por el atrevimiento de aquella mujer. Ella pareció notar mi cambio de actitud, y se irguió lista para decir algo, aunque su postura no revelaba ninguna actitud amenazadora.

—Tendrás que disculparme. Hace mucho que converso con alguien decente, fuera de estos depravados círculos. Pero no digo las cosas a la ligera. Sólo quería saber con quién lo estaba haciendo Alphonse esta semana.

—No creo que debas hablar así de él. Es un perfecto caballero —dije, y di un paso al frente, encarando a la mujer. Escucharla hablar así de Alphonse Rieter había activado una respuesta atávica en mí, y ahora sentía la necesidad de defender su honor—. Además, ¿quién eres tú para hablar así de él?

—Su esposa.

En seguida me congelé. Sabía que estaba petrificada por la vergüenza que sentía en ese momento, pero no sabía la razón de ella. ¿Me sentía así por haber estado hablando con alguien que conocía mejor a Alphonse que yo? ¿Por darme cuenta de que mi jefe estaba casado? ¿Por haber dejado que me trajera a su fiesta, cuando ya tenía una esposa que podía ser su pareja?

No. Sentía vergüenza por haber tenido esperanzas de que Alphonse estuviera disponible para alguien como yo. Aquellas dos palabras, esa simple respuesta de Beatrice habían destrozado mi mundo en cuestión de segundos. Sentía ganas de salir corriendo, de entrar a un baño y llorar, de irme a casa a dormir, de renunciar y mudarme a otro lugar donde nadie conociera mi nombre.

Sin embargo, Beatrice no parecía enfadada conmigo. Tan sólo seguía fumando el mismo cigarro, el cual estaba a punto de acabarse.

—No te angusties, Margaret. Ya no estamos juntos, aunque nunca firmó los papeles del divorcio. Es un buen hombre, pero es bien sabido que se la pasa acostándose con cualquiera.

—No… no podría creerlo. No de alguien como él.

Beatrice me observó de reojo, con una ceja levantada. Terminó lo último que le quedaba de su cigarro, y arrojó la colilla por el balcón de la terraza. Entonces, dejó escapar su última bocanada de humo con un largo suspiro. Sentí que ella sentía pena por mí, como si yo fuera un niño al que le acabaran de decir que Santa Claus no existe.

—Que sea promiscuo no lo hace una mala persona. Incluso yo creo en la poligamia, a pesar de ser yo quien resultó herida.

—¿Puedo…?

—¿Preguntar qué ocurrió? —Terminó de decir ella con una sonrisa—. Esperaba que me lo pidieras, Margaret.

"En ese entonces, era dueña de una pequeña cadena de farmacias que empezaban a expandirse agresivamente a otros estados. A pesar de que se trataba de un trabajo de escritorio, muchas veces iba a la primera sucursal en la que trabajé, cuando sólo era una empleada más, a recordar mis raíces. Y cuando iba a mi farmacia, no existían rangos. Mis empleados me tenían miedo, pues era la gran jefa, pero poco a poco me gané su confianza, y me empezaron a tratar como un compañero más. Y cuando salía del escritorio para ir allí, a veces me encargaba de los clientes directamente.

Cuando se trata de nostalgia, es difícil encontrar a alguien como yo, que piense más en el pasado y en futuro a la vez. Y claro, Alphonse Rieter era un hombre que sólo pensaba en el presente. Era imposible no sentirme atraída a él. Empezamos a salir cuando yo era sólo una empleada más, y me propuso matrimonio cuando ya tenía siete farmacias a mi nombre. Expansión agresiva, tanto en los negocios como en las relaciones.

En fin, después de un par de años felices, y que aún recuerdo con dulzura a pesar de cómo terminó, llegó un día fatal para la monogamia. Fui hasta mi primera farmacia, un poco más temprano de lo usual. Pensé que sería divertido abrir el negocio, como solía hacerlo antes, cuando no tenía nada. Siempre cargo una copia de las llaves como si fueran las de mi auto o las de mi apartamento.

Al entrar, lo primero que noté es que las luces estaban encendidas. Al principio, pensé que debía de haber sido un descuido de uno de los empleados. Pero seguí caminando hasta el fondo, por los pasillos de productos de higiene personal, hacia donde se encontraba la parte de farmacia. Me sentía atraía por un extraño sonido, como si alguien golpeara la pared, y algo de plástico se estrellaba contra el suelo.

Pasé por encima de la barra que separaba a los clientes de los empleados, pasando por una de las paredes de medicamentos, y seguí hasta llegar al almacén donde guardamos los medicamentos.

Ahí encontré a Lana, una de mis empleadas, alta de cabello rubio que siempre tenía trenzado, y una piel quemada por estar tanto tiempo bajo el sol. No tenía muchos senos o culos, pero era encantadora y bonita de cara. Suficiente para que Alphonse la penetrara con tanta pasión como lo hacía en ese momento.

Los dos amantes estaban completamente desnudos, con la ropa cubriendo el suelo de la habitación como evidencia. Ella estaba con la espalda hacia uno de los estantes donde guardábamos las cajas y botellas de píldoras, flotando en el aire, con Alphonse cargándola por los muslos al tiempo que la penetraba. Su pene iba dentro y fuera de ella con un ritmo parecido al del latido de un corazón. Sé cuándo está cogiendo así, y debía de haber estado cansado por el esfuerzo, pero sin embargo era capaz de hacerla gemir. Pero Lana no producía ningún sonido, pues Alphonse le cubría la boca con una de sus manos mientras la cargaba.

Ella me vio en ese momento, y si su boca hubiera estado libre, hubiera gritado del miedo. Y si no se la estuvieran cogiendo tan rico, claro. Conozco a mi marido, y si algo sé de él es que sabe follar. Él seguía manteniendo aquel ritmo, pegando su duro abdomen contra el delgado cuerpo de ella, moviéndose sensualmente como un animal, y ella parecía disfrutarlo. Sus ojos, que habían estado fijos en mí en una expresión de terror y sorpresa, se volvieron blancos de placer. Su libido superaba su miedo. Así de bueno es Alphonse.

Entonces, él aceleró el paso, y ella tuvo que aferrarse al estante de metal para no caerse. Seguía sin tocar el suelo, cuando el arremetió contra ella con fuerza, a penetrarla tan rápido como fuera capaz a pesar del peso que tenía en sus brazos. Pero en aquella posición, en que Lana quedaba flotando en el aire, la penetración era tan profunda que ella no podía controlarse. El estante de metal tembló tanto como sus piernas, y los medicamentos cayeron al suelo cada vez que todo su cuerpo se estremecía de placer. Finalmente, él acabó, dentro de ella. Con cuidado, Alphonse depositó a mi empleada, quien parecía que se estaba desmayando de placer en el suelo, recostada sobre el estante de metal. Cerró los ojos, y me gusta pensar que en ese entonces, ella creyó que yo no era sino parte de su imaginación. No quise ver más. Tan sólo me di media vuelta y cerré la puerta detrás de ellos.

Como te podrás imaginar, tuve que divorciarme en seguida de él. Pero no fue porque se estuviera acostando con Lana. Si él quería que tuviéramos una relación abierta, hubiera estado de acuerdo, siempre que fuera honesto conmigo. Pero yo sé lo mucho que a Alphonse le gusta que sus mujeres giman y griten de placer, y digan su nombre durante el sexo. Que le tapara la boca a Lana significaba que él me había escuchado entrar, pero no quería dejar de coger. Tan sólo había intentado ser más sigiloso. Nunca podría aceptar que un hombre me mienta o me engañe, pero todo estaría bien si hubiera llegado a casa y me hubiera contado todo. ¿Quién sabe? Tal vez dejaría que Lana se uniera a nuestra cama si esa hubiera sido la situación.

Ahora estamos separados por ello. De vez en cuando,

cogemos, claro. Él porque vive el presente de tener a todas las mujeres que quiera, sin compromisos, y yo porque aún vivo de los buenos recuerdos que tuvimos, en el pasado. Después de todo, los dos somos jóvenes y aun nos deseamos, y me atrevo a decir que aún hay sentimientos sin nombres. No podría volver con él, y no siento celo de sus nuevas amantes, así que no tienes que preocuparte por ello, Margaret. Pero debes de saber la clase de hombre con la que te estás juntado. Si no tienes problema con su modo de vida, entonces serás feliz. Como dije, es un buen hombre. Uno de los mejores que existe allá afuera. Debes de abrir tu mundo sexual, permitir que disfruten de ustedes, de otros, y de ustedes otra vez. Sin compromisos, como es la vida. Impredecible, como es el presente. Pero no puedes poseerlo…".

—…sólo puedes amarlo, y dejar que te amé de vuelta.

Y con esas palabras, Beatrice terminaba su historia. Tras escucharla, pude notar una especie de triste silueta, algo muy escondido detrás de su seductora actitud y su confianza. No sabía que contestarle. Hubiera necesitado tiempo para pensar en algo que decir, pero en ese momento, mi mente sólo se preocupaba por lo que ahora sabía de Alphonse Rieter, y no sabía cómo sentirme al respecto.

Pero nada importó, pues sin siquiera despedirse, Beatrice tan sólo se levantó de la baranda y caminó hasta adentrarse en el mar de amigos y colegas de su ex esposo, perdiéndose por completo.

9. LA OFICINA

Tras conocer a Beatrice y haber escuchado su historia, me sentía agradecida de que Alphonse Rieter se hubiera perdido con su amigo. Necesitaba estar sola para pensar en las cosas que había aprendido sobre mi jefe. Desde luego, no dejaba de sentir cierto aprecio por él. Tal vez porque, a pesar de los pequeños halagos y la invitación a su apartamento, seguían sin haber claras señales de que estuviera buscando algo conmigo. Tal vez sólo quería tener sexo conmigo y luego olvidarse de mí. ¿Estaría tan mal eso? Pero si esas eran sus intenciones, ¿por qué intentarlo con alguien que trabajara para él? Se estaría arriesgando a ser víctima de recursos humanos, de perder su importante puesto. Esa podría ser la razón por la cual no se había atrevido a hacer nada más que pequeños intentos de captar mi atención, de acercarse a mí, sin que hubiera forma de conectarlo a un escándalo sexual.

Y claro, luego estaba lo que yo quería de él. ¿Buscaba sexo? ¿Buscaba amor? ¿Estaba enamorada de él? ¿O acaso, estaba intentando evitar todo eso y buscaba una relación profesional, a pesar de lo que sintiera?

Mis pensamientos se vieron interrumpidos cuando recibí una llamada a mi celular. Abrí mi pequeña cartera, y leí el nombre del contacto. Era David. Normalmente, no hubiera contestado, ya que estaba en un "importante evento" con mi jefe, y mi compañero lo sabía, pero después de cómo había actuado esta tarde, sentí que era importante contestarle.

—Hola, David —dije, intentando escucharme casual. Tuve que ponerme un dedo en el oído para poder escucharle—. ¿Cómo está todo?

—Maggie… tengo algo que contarte —dijo, sin siquiera saludar primero. A juzgar por su tono de voz decaído, sentí que algo serio estaba ocurriendo.

—¿Es por lo que ocurrió esta tarde?

—Sí. Cristy, la masajista… me dijo quién era el hombre

al que estábamos persiguiendo. Tan sólo me dio el primer nombre, sin apellidos. Ese fue el trato, pero sé muy bien de quien se trata.

—¿Y bien? —dije, abriendo los ojos de par en par. ¿Cómo era posible que había llegado al final del camino y no me había dicho nada?—. ¿De quién se trata?

—Pues... ¿Te acuerdas que dijo que se trataba de una persona importante, y no famosa?

—Sí, lo recuerdo.

—Me di cuenta por la cantidad de revistas que había en la recepción del Spa, y luego en el cuarto donde me cambié de ropa, y donde supuse que ella se cambia de ropa también.

—David, deja de darle vueltas al asunto —dije, impaciente por saber de quien se trataba—. ¿Quién es?

—Maggie, Cristy es una cliente habitual de Platonic, y el nombre que me dio es el de Alphonse. Ella se ha estado acostando con nuestro jefe. El hombre al que le hemos estado siguiendo la pista es...

Tranqué la llamada. No podía seguir escuchando eso. Dentro de mí, tenía una pequeña esperanza de que la historia de Beatrice había sido un evento aislado, o que tal vez ella estuviera mintiendo sólo para crear conflicto entre Alphonse y yo. Pero David no podría mentir sobre ello. Yo misma había visto las revistas en la recepción con el nombre de la chica que trabajaba como masajista, y que antes había sido despedida de la veterinaria por acostarse con alguien que ella había encontrado como famoso, alguien que su compañero no había reconocido. Alguien que no era famoso pero que sí era importante, alguien que vestía con buenos trajes, que...

—¿Maggie? —La voz de Alphonse detrás de mí hizo que un escalofrío recorriera mi espalda—. ¿Estás bien?

—¡Alphonse! —grité, y en seguida bajé la voz. Me di la vuelta, intentando aparentar que nada había pasado, y fallando evidentemente—. Todo está... está bien. Sólo admiraba la... la vista.

—Vi que estabas hablando con mi ex, y supuse que tenía

que venir a salvarte en seguida —dijo, riendo un poco. Se acercó hasta estar a tan sólo unos centímetros de mí, y puso sus manos en mis hombros—. No tienes que estar tan nerviosa cuando hablas conmigo. Ya te lo he dicho. No pienses en mí como tu jefe, sino como tu pareja de esta noche.

Reí un poco, igual que él había hecho, sólo que en mí se notaba una incomodidad de querer escapar de esa situación. Alphonse debió de haber supuesto que se trataba de los nervios de una empleada frente a su jefe, y lo tomó como algo normal.

—Si no te importa, quisiera que vinieras conmigo a conocer al dueño de Platonic. El gran jefe en persona, y la persona que hará que deje de ser el editor en jefe de nuestras oficinas y pase a un mayor plano. Tal vez reemplazarlo un día. ¿Quién sabe?
—Cla… claro. No tengo problema.
—Sé que estas nerviosa, pero te prometo que será rápido.

Quería llegar con una acompañante para causar una buena impresión —dijo Alphonse. Agachó la cabeza, y pasó su mano por encima de su oreja—. Y bueno, no conozco a nadie que tenga tanta clase como tú, ¿sabes?

Reí una vez más, y tal vez esta vez fue con mayor sinceridad. A pesar de todos los eventos de este fin de semana, de todas las cosas que había aprendido sobre el misterioso hombre que había estado persiguiendo y del verdadero Alphonse Rieter, él seguía siendo capaz de hacerme sonrojar.

Con un además caballeroso, Alphonse me mostró su brazo, indicándome que podía tomarlo. Así lo hice, y los dos caminamos adentro del apartamento, pasando por en medio de la multitud. A lo lejos, cerca de la barra, pude ver a Beatrice, quien me observaba con una expresión triste, pero seguí caminando como si no supiera que estaba allí. Subimos por una de las escaleras de cristal, caminando por varios grupos de personas que se detenían a saludar a Alphonse, hasta llegar a un cuarto lateral.

Entramos, y Alphonse cerró la puerta detrás de él. La habitación era de pisos y paredes de madera fina, con sillas y gabinetes de licor que parecían sacados de la oficina de un primer ministro. En medio de la sala, había una mesa de billar hecha de mármol, con el centro cubierto en una tela azul. Debían de haber al menos cuatro hombres jugando, pero uno de ellos resaltaba del resto. Era más viejo que los otros, gordo y mejor vestido. A juzgar por la distancia de los demás, este hombre debía de estar jugando él sólo, sin contrincantes, mientras los otros se quedaban observándolo. Otro hombre, un poco más pequeño y de cabello rojo y de rulos parecía ser su asistente. Tras analizarlos bien, me di cuenta que los otros dos hombres debían de ser su guardaespaldas, a juzgar por lo grande y musculosos que eran.

Alphonse se puso a mi lado, listo para avanzar y presentarme. Nunca lo había visto tan nervioso. De hecho, nunca lo había visto nervioso, excepto las veces en que me decía algo halagador y luego se sonrojaba por ello.

—Señor Lieber, ¿Cómo la está pasando esta noche?

—Ah, Alphonse. Tendría que haber menos gente, menos ruido, y muchos más habanos. Pero supongo que eso sería pedir mucho para ti —dijo. Su tono de voz era rudo, y no parecía que respetara mucho a mi jefe—. Al menos la mesa de billar es magnífica. Es lo único con algo de gusto en este apartamento.

—Lo sé. Fue un regalo tuyo, si mal no recuerdo —contestó Alphonse, con una fingida sonrisa. Me aferré a su brazo y sentí como se tensaba—. No quería interrumpir tu juego, pero quería presentarte a una de nuestras editoras. Maggie, esté es…

—Maximilian Lieber —Se presentó el jefe de mi jefe, interrumpiendo a Alphonse. Dejó su palo de billar sobre la mesa, y se acercó a darme la mano. Era gruesa, y daba apretones muy fuertes a pesar de que estaba tratando con una mujer. Mi impresión inmediata era que no me agradaba esta persona.

—Margaret Tennenbaum —dije, separándome de Alphonse. No había sido mi intención, pero me había escuchado seca y cortante.

—Una mujer de carácter. Y hermosa, también. Sí que sabes elegirlas, Alphonse.

Mi jefe no respondió, sino que se rió nerviosamente, como cuando yo trataba con él, y escondió sus manos en sus bolsillos. Parecía disgustado al ver como su jefe se acercaba a mí, ignorándole por completo.

—En fin, Dean ya tiene tu contrato listo. ¿Por qué no vas a revisarlo con él mientras yo me entretengo con tan dulce… criatura?

Entonces, Max Lieber sonrió, y fue una sonrisa que no podía olvidar jamás. Era como un tiburón que enseñaba todos sus dientes. Al abrir su boca, podía sentir una peste de alcohol y cigarros que tuve que hacer un esfuerzo para que no se me notara mi expresión de asco.

El pequeño asistente del rojizo cabello de rulos, aquel que debía de ser Dean, caminó hasta una de las sillas de cojines rojos, donde reposaba un pequeño maletín. De ahí tomó una carpeta y caminó hasta la ventana. Alphonse se acercó a él, y los dos se perdieron en una conversación sobre los papeles que revisaban.

Empecé a pensar que tal vez Alphonse no quería nada conmigo, y que me estaba usando sólo para agradarle a su jefe. Me sentía engañada, pero entonces recordé que él nunca había sido deshonesto conmigo. Esta nunca había sido una cita, y yo nunca había sido su amante. Él me había pedido que lo acompañara a un evento laboral, y eso era lo que estaba ocurriendo en ese momento.

Decidí entonces que lo mejor era olvidarme de los últimos días. De la cacería por un artículo de Platonic, de la vida secreta de Alphonse Rieter, y de mis sueños por estar con él. Lo ayudaría con lo que fuera que necesitara de mí, como impresionar a su jefe, y luego volvería a mi tranquila y callada vida. Sin historias de sexo a la vuelta de cada esquina, en cada lugar que visitara. Tan sólo la misma Maggie de siempre, sentada detrás de un escritorio, soñando en cosas que no era capaz de tener.

Bajé la cabeza, y mi expresión de tristeza debió de notarse, pues Max Lieber se acercó aún más a mí. Rodeó mis hombros con un brazo, y me alejó de Alphonse, hasta llevarnos a las sillas opuestas a dónde estaba la ventana.

—No te preocupes, querida. Alphonse no se apartará de ti por mucho tiempo —dijo Max, aun cuando sentía que buscaba alejarme de él. De uno de sus bolsillos tomó un cigarro, parecido al que usarían en una película de mafiosos. Lo pasó por su nariz para olerlo, y luego procedió a encenderlo con un encendedor oro y diamantes incrustados en él. Sentía que buscaba impresionarme con su opulencia, pero su abuso de poder me hacía sentir asqueada—. Hasta un ciego podría notar que le importas.

—Alphonse es… muy amable.

—Lo es. Y tiene un buen gusto por las mujeres —contestó Max. Se sentó en una de las sillas a la que nos había apartado, e hizo una señal para que me sentara a su lado—. Ven. Hay una historia que quiero contarte.

—¿Una historia? —pregunté, al tiempo que me sentaba a su lado.

—Sí. Una historia, y luego una proposición. Primero, déjame contarte sobre una chica que trabaja para Alphonse Rieter. Una chica llamada… Pamela Jones, si mal no recuerdo.

Aquel nombre hizo que se me erizara la piel. Pensé en la estúpida sonrisa de la colega que más odio en el mundo, y cómo siempre se reía de mí y de David con su pequeño grupo de secuaces. Dios, cómo odio a Pamela…

Aun cuando no quería pasar más tiempo con Max Lieber, la curiosidad que sentía por los chismes que tenía sobre mi archienemiga hizo que me quedara sentada, escuchando sus palabras detenidamente.

"¿Qué sabes de Pamela? Digo, además de que trabaja contigo para la revista Platonic. No importa, la verdad. Déjame contarte un poco de ella.

Pamela Jones pasó por una gran racha de trabajos. Al menos, eso leí en su currículum. Más que todo, hizo de secretaria. Trabajo unos meses en una firma de abogados, en un par de editoriales y, antes de convertirla en una redactora de Platonic, era mi asistente personal. Con todos esos meses de experiencia en compañías rivales, ¿cómo no iba a contratarla? Y claro, estaba el asunto de cómo se veía en ese entonces. No tengo que hablarte de su cabello amarillo, con el frente cortado perfectamente, o de su nariz perfilada y siempre hacia arriba, o de su espalda siempre recta. A la mayoría de los hombres les atraen los cuerpos de supermodelos y las sonrisas de niñas bonitas, pero has de suponer, señorita Margaret, que no soy como los otros hombres. No, un caballero de mis gustos aprecia la simetría en los cortes de cabello, el orden y el porte en que presenta sus facciones, el collar de perlas que demostraba que sabía vestirse con finura. Y la sonrisa de Pamela, como bien conoces, no es la de una niña inocente. Está llena de una dulce malicia, la clase que sólo se encuentra en una mujer atraída por el poder, por la clase, por gente como yo. Era natural que ocurriera, ¿sabes?

Pero me estoy adelantando a los hechos. Al principio, no quise forzarme sobre ella. Lo he intentado antes, y luego se pierde mucho dinero contratando abogados para esconder todo el asunto debajo de la alfombra. No, con Pamela quería ir con cuidado, dejar que se acercara a mí. Los primeros meses fueron rápidos. Ella era una buena asistente. Contestaba mis llamadas, arreglaba mi horario y mis reuniones laborales y personales, y se aseguraba de que siempre tuviera un café a mi disposición. Entre nosotros siempre hubo una distancia profesional, pero éramos muy cercanos y nos tratábamos con risas y amabilidad porque así lo permití yo. Y en ocasiones, dejaba una mención sobre mi poder de transferir a mis empleados a sucursales de la revista, donde tuvieran un mejor sueldo y muchos más beneficios.

Tras tres meses de empleo, ella hizo la pregunta obvia. Era tarde y no quedaba más nadie que ella y yo. Pamela entró con confianza, sin siquiera tocar la puerta de mi oficina, aunque le pedí que cerrara detrás de ella. Siempre lo hacía, por si acaso se acercaba el día de la gran pregunta. Como siempre, ella admiraba la gran pared de cristal detrás de mi asiento, con la mejor vista de la ciudad. Admiraba mis pinturas de miles de dólares que decoran las paredes de madera caoba, mucho más finas que las de esta habitación. Admiraba mi poder, y lo que podría darle si lo intentaba.

Esa tarde, ella se sentó sobre mi escritorio, exponiendo sus piernas, hasta revelar un poco de piel entre sus negras medias y su falda gris. Sí, ese poco de piel me vuelve loco, y ella lo sabía. Además, tenía puesta esa camisa azul que era tan elegante. No tenía que revelar su busto. No tenía que ser atrevida. Sólo tenía que demostrar que estaba a la altura del cargo que había venido a buscar.

Sentada sobre el escritorio, y mucho más coqueta de lo usual, me preguntó por una transferencia a Platonic. Le dije que estaba dispuesta a concederle su petición, si hacía algo por mí. No dejaré que te imagines lo que ocurrió después, pues me gustaría que lo percibieras a través de mis detalles, de la experiencia que yo tuve.

Balanceando un pie sobre el otro, se quitó su zapato de tacón. Lo movió en el aire, pasándolo por mi pecho primero, deteniéndose para jugar con la corbata, para luego bajar hasta mis pantalones. Por encima de ellos, empezó a tocar mis genitales mientras que sacaba la lengua de forma atrevida, como llamándome a que la poseyera. Por muy loco que me volviera, como era evidente por como crecía mi pene, quise que ella continuara dominando la situación. Quería ver un espectáculo de su parte. Quería ver de lo que ella era capaz, antes de mostrarle lo que yo podía hacer.

Me recliné sobre mi silla, como dándole a entender de que estaba listo para que ella siguiera. Ella se quitó su otro tacón, y lentamente se sentó encima de mí. Empezó a besarme, al principio con la misma cautela y seducción con la que se había estado acercando a mí, y luego con la fiereza que una elegante mujer ha estado ocultado por mucho tiempo. Sus labios eran delgados, pero sabía usar su lengua. Sus manos pasaban por mi cuerpo, quitándome la chaqueta primero, y luego pasando por entre los botones de mi camisa. Sin querer desnudarme aún, se deslizo hasta bajarse de mí y estar con la cabeza frente a mis pantalones. Se amarró el cabello, y pasó sus manos por mis muslos, sin tocarme aún el pene, como queriendo provocarme.

Ahí fue cuando decidí empezar a demostrarle mi poder. Antes de que pudiera empezar con su mamada, la detuve. Con gentileza, puse una mano en su barbilla, indicándole que quería que se levantara. Así lo hizo, y luego me acerqué a ella y le susurré una sola palabra. "Voltéate". Ella sonrió, con esa sonrisa de perversión y malicia, y se despegó de mí. Se quitó la camisa lentamente, hasta dejar expuesto su sostén de sensual lencería negra. Fue entonces que acató mi orden y se volteó, para poder dejar que yo observara el espectáculo. Pasó sus manos por su culo, hasta llegar al cierre de su falda, y lo bajó lentamente. Al quitársela, expuso su culo de la misma forma que lo había hecho con su sostén, excepto que esta vez no había ropa interior. Para finalizar, con solo usar una mano se quitó los ganchos que sujetaban el sostén, dejando ver una blanca espalda pálida, que iba desde el collar de perlas de su cuello hasta la fina línea entre sus muslos y las negras medias. Era como ser un artista y apreciar una lona en blanco, lista para convertirse en su próxima obra de arte.

Sosteniéndose los pechos, se inclinó para darme a entender que esperaba ser penetrada. Sí, era hora de demostrar mi poder. Con una fuerza violenta que ella no esperaba, la tomé de su perfecto cabello simétrico, y la empujé hacia el escritorio. A juzgar por sus risas, parecía que eso le había gustado, o al menos eso había aparentado. Despejé todo lo que había en mi escritorio con un brusco movimiento del brazo, y levanté una de sus piernas. Rápidamente, me desabroché los pantalones, sin ceremonia alguna, y apenas se asomó mi miembro, empecé a penetrarla. No fui lento, no fui gentil. Quise ser rápido y brutal, demostrarle de lo que soy capaz, de lo que puedo hacer con mi poder. Al principio, ella se aferró a mi escritorio con una mano, mientras que con la otra intentaba detener mi avance. Me pedía que fuera más lento, que le estaba haciendo daño, pero yo seguí arremetiendo contra mi asistente. Cada vez iba con mayor profundidad, asegurándome de que mi pene se hiciera sentir dentro de ella, palpitando de arriba hacia abajo, sacándolo y volviéndolo a meter con mayor fuerza. Pude notar como su maquillaje empezaba a correrse por las lágrimas, y los gemidos de placer se confundían con los gritos de dolor, suficientemente altos para que me escuchara todo el edificio. No importaba, nadie se atrevería a interrumpirnos. Además, las ventanas de cristal daban una perfecta visión a las oficinas de otros edificios. Sentí al vergüenza de mi asistente, quien hubiera preferido privacidad del acto que debía de cometer, pero yo quería que el mundo viera cómo la hacía mía, cómo la dominaba.

Finalmente, al ver cómo la pálida espalda había enrojecido por el esfuerzo, empecé a excitarme. Tenía que ir más rápido. Siempre más rápido. Sentí que tenía que acabar pronto, así que me separé de Pamela. Ella quedó jadeando sobre mi escritorio, intentando recuperar el aire. Ese es el problema de las chicas finas y elegantes; no duran nada. Le pedí que se volteara boca arriba, y debió de pensar que le acabaría encima, así que acató mi orden sin cuestionarla. Sin embargo, una vez que sus hermosos pechos, su adolorido vientre y su rojo rostro estuvieron boca arriba, yo fui al otro lado del escritorio, aun con mi pene entre mis manos. En lugar de acabar encima de ella, metí mi miembro en su boca. En esa posición en la que ella estaba, boca arriba, podía adentrarme con mayor profundidad, hasta llegar a su garganta. Empecé a penetrar su boca con la misma velocidad, como si se tratara de su vagina. No, no fui gentil. Nunca gentil. Ella empezó a sentir arcadas, e intentó usar sus manos para detener mi avance, pero yo se las quitaba con facilidad. Seguí penetrándola con fuerza, y justo antes de acabar, empecé a tomarla de la garganta y apretar con fuerza. El brusco movimiento hizo que rompiera su collar de perlas, las cuales se regaron por toda la oficina. Su rostro, que ya estaba rojo del esfuerzo, empezó a cambiar de color a un tono morado. Verla asfixiarse con mi miembro me excitó, y acabé dentro de ella. Como no quería ahogarse, ella se tragó todo. Sólo entonces, cuando terminé de destruir su hermoso rostro, cuando las gotas del negro maquillaje y lágrimas se empezaban a mezclar con el espeso semen blanco y le caían sobre el cabello perfectamente arreglado, sólo cuando su perfecta postura fue puesta a prueba sobre la dura fricción de mi escritorio, sólo entonces fue que terminé... por esa noche.

Tomé una servilleta de una pequeña caja que guardaba para estas ocasiones, y me limpié el pene. Ella se levantó del escritorio, con las piernas temblando, y en seguida se echó al suelo. Intentó parecer fuerte, como si ese hubiera sido el mejor sexo de su vida, y todo para agradarme. He de decir eso de ella: era tenaz, y se mantuvo fuerte hasta el final.

Le dije que la esperaba en dos horas en mi mansión. Le di la dirección, y le dije que se prepara para una larga noche, si quería ese trabajo. Luego le ordené que limpiara el desastre que había dejado encima de mi escritorio, y por toda la oficina. Ella sonrió, y asintió con la cabeza. Finalmente, salí de mi oficina, por las grandes y pesadas puertas de madera y metal. Y justo un segundo antes de que se cerraran, pude escuchar como ella se quebraba. Sólo un segundo antes de que se cerraran, y un pequeño gemido se escapaba de las paredes que habían sido testigo de ese hecho".

—Y esa es la historia de Pamela Jones. Una mala noche a cambio de un futuro brillante. Podría ser la peor redactora del mundo, y aun así nadie podría despedirla, pues pagó su precio y yo me aseguré de recompensarla con largo y duradero empleo.

Una vez que Max Lieber terminó su historia, sentí que tenía que recoger mi mandíbula del suelo. Después del fin de semana, las historias de sexo que parecían rodear mi mundo no debían de serme poco familiares, y desde luego no había nada más común que un jefe de una enorme corporación con su asistente o secretaria. Sin embargo, el saber que esa chica había sido Pamela, y el haber escuchado como había tenido que someterse a un hombre cómo él… Dios, siempre había odiado a Pamela, pero ahora sólo podía sentir pena por ella.

Max Lieber se había quedado observándome todo este tiempo, cómo si disfrutara de mi expresión atónita. Por alguna razón, sentí que esta no era la primera vez que le contaba esto a una completa extraña. Por fin, tragué saliva y me atreví a hablar.

—¿Y por qué razón me cuenta esto, señor Lieber?

—Vamos, sé que no eres una chica estúpida. Alphonse Rieter está firmando un contrato para convertirse en el nuevo jefe de edición de todo el país, y alguien tiene que ocupar el puesto que dejará vacío. —Max Lieber fumó de su habano, haciendo aros de humo en el aire, y procedió a sonreír con atrevimiento, enseñando sus dientes amarillos—. Es aquí cuando te hago una proposición…

Sentí la náusea recorrer mi garganta. Siquiera pensar en acostarme con alguien como ese cerdo me daba ganas de vomitar. Y a pesar de que estaba hablando con el jefe de mi jefe, con la persona que podía hacerme desaparecer del mundo laboral con un chasquido de sus dedos, no quise rechazarlo sutilmente.

—No sé qué clase de mujer cree que soy, señor Lieber, pero jamás pasaría una noche con usted, ni por todo el dinero del mundo.

¡Maldita sea! ¿Esa había sido yo?

La habitación entró en un incómodo silencio. Mis ojos se

cruzaron con los de Alphonse, al otro lado de la sala, el cual tenía una expresión atónica en su rostro. Quise decirle que sentía haber arruinado su noche, pero la verdad era que... no lo sentía.

Max Lieber dejó de lado sus expresiones amables. Frunció el ceño y pasó su habano de un lado de la boca al otro.

—¿Estas segura de que quieres rechazarme, querida? Porque podría destruirte si te negaras a esa petición.

Sentí una mano de dedos gordos que se aferraba con fuerza a mi muñeca, como si no quisiera que me escapara. Pensé que rechazarle sería el fin, pero ahora empezaba a tener miedo de que se forzara sobre mí. Intenté quitarle el brazo, pero Max Lieber era muy fuerte.

—¡Suéltame!

Lo que ocurrió después fue muy rápido para registrarlo. Max Lieber me haló hacia él, como si fuera a poseerme ahí mismo, como si me fuera a tratar como lo había hecho con Pamela. En ese momento, temí. Cerré los ojos, y sentí como se aligeraba la mano que se aferraba a mí, hasta soltarme por completo. Al abrir los ojos, pude ver a Max Lieber en el suelo, incorporándose sobre una rodilla, y con una mano cubriendo su mejilla derecha. Alphonse estaba de pie, a su lado, con el puño en el aire. En seguida, los guardaespaldas de su jefe le tomaron de los brazos, y lo alejaron de Max Lieber.

¿Alphonse acababa de arriesgar su puesto de trabajo por salvarme de su jefe?

—Está bien, muchachos. Suéltenlo —dijo Max Lieber, haciéndole una señal a sus guardias, quienes liberaron a Alphonse—. Igual no tiene importancia.

El asistente de Max Lieber, Dean, intercambió una mirada con su jefe. Negó con la cabeza, y Max sonrió de forma maliciosa. En eso sí se parecía a Pamela Jones.

—Debiste de haber firmado el contrato antes de tocarme,

Alphonse. Al menos así te hubieras ganado un buen bono de despido —contestó Max Lieber. Le hizo una señal a su séquito, y ellos le siguieron hasta la puerta—. Adios, Rieter. Espero no tener que verte nunca más.

—Lo mismo digo —contestó Alphonse, con una mirada de odio dirigida a su jefe… o la persona que antes era su jefe.

Una vez que se cerró la puerta detrás de ellos, quedamos completamente solos. Alphonse, aun jadeando por todo el movimiento que acababa de ocurrir, y yo, aun temblando por el miedo que había sentido, y a la vez enternecida por el caballeroso acto de Alphonse Rieter. Sentí entonces que le debía al menos una larga noche de consuelos y conversaciones.

Él levantó la mirada, y se cruzó con la mía. Ambos debíamos de estar pensando lo mismo.

—¿Quieres…? —empezó a decir.

—¿Irme de aquí? —terminé yo.

Alphonse sonrió. Me tomó de la mano, y salimos de la habitación, atravesando la multitud que eran sus invitados, hasta salir de su apartamento.

10. EL CLUB DE CABALLEROS

Mis piernas temblaban. Todo mi cuerpo temblaba, de hecho. Nunca había tenido tan poco control de los eventos a mí alrededor, de hacia dónde iba. Alphonse y yo tan sólo nos subimos a su auto, y él nos llevó a varias calles de la ciudad, sin detenerse en ningún lado, pues no teníamos un rumbo concreto. Él no podía regresar a su casa; al menos, no de momento, y aunque me hubiera gustado decirle que podíamos ir a mi apartamento, me sentía un poco avergonzada después de ver el pent-house de mi jefe.

Apreté mi cartera entre mis piernas, nerviosa por a dónde nos llevaría la noche. Mi mente seguía pensando en todos los acontecimientos que habían ocurrido, de cómo había sentido que Alphonse me había usado para conseguir un ascenso, y como perdió su empleo por intentar salvarme de aquel asqueroso cerdo. Yo… no sabía que sentir hacia él. Mi mente me seguía dando vueltas, y para hacer las cosas peor, ninguno de los dos había dicho una palabra desde que salimos de su estudio. Nos habíamos ido directo al ascensor, dejando a una marea de invitados y rostros detrás, y nos montamos en su auto. Él me había abierto la puerta del carro, sin producir ni un sonido de su boca, intentando mantener una apariencia de caballero, pero pude ver como su mano temblaba mientras se aferraba a la manija de la puerta.

Así, nos adentramos hacia la noche, dejando que el viaje bajará nuestros niveles de adrenalina, y nos permitiera pensar como era debido. Tras 40 minutos de dar vueltas por los diferentes rincones, Alphonse cruzó el puente que nos alejaba de la ciudad. Cerca del otro extremo, había un pequeño claro, dónde un tráiler tipo restaurant nos esperaba. Alphonse se detuvo a un lado del camino, en medio de la tierra, entre un camión más grande que el tráiler y una camioneta.

—¿Tienes hambre? —preguntó Alphonse.

114

Yo asentí, pero él no esperó a observar mi reacción. Tan sólo salió de su auto, y caminó al otro lado para abrirme la puerta. Me ofreció la mano para ayudarme a salir, y se la tomé. Seguía temblando, y yo también, y ninguno sabía si era por el miedo de las situaciones que habíamos vivido, o si era por la situación que estábamos viviendo ahora.

—Este lugar tiene los mejores sándwiches de la ciudad... o fuera de ella, al menos.

Sin soltarme de la mano, Alphonse me llevó hasta el "restaurante". Era un tráiler de colores azul celeste desgastados, lleno de diferentes calcomanías y pegatinas de diferentes lugares del mundo, o de chistes sexuales muy explícitos. En el *counter*, a un lado del tráiler, había un muñeco de un jugador de baseball que no conocía, con una cabeza más grande y desproporcionada que el resto de su cuerpo, y con unos lentes de sol. Detrás, una señora grande y gruesa de cabello pintado en naranja parecía atender a los clientes, y más al fondo dos hombres parecían trabajar en una apretada cocina.

Como el lugar ni siquiera tenía un letrero en el que pedir la comida, dejé que Alphonse se encargara de todo. A esas horas, no parecía que hubieran muchos clientes, así que fuimos atendidos en seguida.

—Grace, ¿cómo va todo? —saludó Alphonse, y en seguida quedé impactada por la familiaridad con la que la trataba.

—Igual, con un negocio a punto de quebrar, y con ganas de irme a otro estado —contestó Grace, con una sonrisa en su rostro, a pesar de sus palabras—. Estoy pensando en irme a un lugar con playas. Hace falta broncearme para conseguir a un buen hombre.

—Querida Grace, nunca has necesitado broncearte para conseguirte un novio. Y desde luego, llevas años diciente que tu negocio va a quebrar, y siempre estás al lado del puente.

—Sí, y pronto estaré viviendo debajo de él —dijo Grace,

y ambos rieron. Entonces, ella se volteó y se dirigió a los dos cocineros de atrás—. Ramón, Flores, miren quien acaba de pasarse por aquí.

Los dos cocineros se voltearon y saludaron efusivamente a Alphonse, y este les devolvió el saludo. Nunca pensé que Alphonse fuera un cliente regular en un lugar de comida tan poco opulento para su cargo o nivel, y tan lejos de su morada.

—Bueno, ¿qué tal si pides algo para variar? —preguntó Grace una vez que los saludos terminaron.

—Dame lo de siempre, y hazlo para dos personas —contestó Alphonse.

—En seguida, galán. Tomen asiento, que yo se los traigo a la mesa —dijo Grace, y Alphonse le dio las gracias. Antes de que pudiéramos alejarnos mucho, ella nos gritó—. ¡Ya era hora de que trajeras a una dama a este lugar!

Mi mente empezaba a correr de nuevo. Este lugar, tan alejado de su mundo y en el que Alphonse era reconocido y querido… nunca había llevado a alguien a ese lugar. ¿Ni siquiera a su exesposa? No podría imaginarla en un sitio como este, pero claro, tampoco lo hubiera imaginado de Alphonse. Y él me estaba llevando a un lugar que era importante para él, un lugar que nunca había compartido con nadie más…

Cualquiera que fuera la magia de aquel lugar de comida sin nombre, la encontré al ver el lugar de las mesas. Detrás del tráiler, y amarradas del tejado, había una gran cantidad de luces de Navidad, tanto blancas como de colores, colgando por encima de unas seis mesas de madera, de esas que se encuentran en parques y campamentos. Alejados de la luces incandescentes de la ciudad, aquel lugar callado, solitario e iluminado de forma más inocente era cálido, como si estuviera en el rincón de un corazón. El corazón de Alphonse.

Además de nosotros, dos clientes más estaban sentados en una mesa en una esquina, los cuales supuse que debían de ser los

116

dueños del camión y/o la camioneta a juzgar por sus vestimentas, y porque no había nadie más. Los dos nos observaron mientras nos sentábamos en una de las mesas. Debíamos de llamar la atención por cómo estábamos vestidos, con trajes de gala y que no pertenecían a aquel lugar. Sin embargo, Alphonse no le dio importancia, y eso me dio el coraje de seguir su ejemplo. Tras unos segundos, los dos hombres regresaron a su cena, y dejaron de vernos.

Ahí permanecimos, en completo silencio, observándonos de frente, intentando evitar la mirada, y volviendo a observarnos. Sabíamos que teníamos que hablar de lo ocurrido, pero nadie sabía si debía de empezar, o si dejar que el otro empezara. Éramos dos bombas a presión, a punto de estallar, pero sin saber qué ocurriría luego de ello. ¿Nos reiríamos? ¿Lloraríamos? ¿Nos besaríamos? ¿O no volveríamos a vernos más nunca después de esta noche?

Finalmente, Alphonse tuvo la primera palabra: —Lo siento.

Y luego, un silencio detrás de esas dos palabras.

—Lo siento por todo lo que ocurrió esta noche, Maggie. —Alphonse parecía jugar con sus manos, como si estuviera nervioso. Tomó aire, y lo exhaló, calmando sus nervios—. Nunca quise ponerte en esa… situación. Sabía que Max Lieber era un bastardo, pero no ese tipo de bastardo.

—Está bien, Alphonse —dije, bajando la mirada—. Me salvaste allá atrás, y yo hice que perdieras tu trabajo.

—No te preocupes —contestó Alphonse con una sonrisa, y sentí como mi corazón se hinchaba de repente—. Con ese ascenso, no hubiera tenido que lidiar nunca más con Max. Supongo que ser despedido cumple con el mismo propósito.

Reí un poco, pero seguía sintiendo pena por Alphonse, por todo lo que había ocurrido. No sabía qué hacer para hacerlo sentir mejor.

—¿Puedo preguntarte algo? —dije al fin.

—Desde luego

—¿Por qué querías que fuera contigo a tu fiesta? Pensé que sería tu acompañante ya que otros tendrían uno, y yo tendría que conversar con la esposa de Max o algo. Pero él no tenía a nadie.

—Es… una respuesta compleja —dijo Alphonse, y volvió a sonreír, pero esta vez era una sonrisa acompañada con ojos tristes—. Ese apartamento estaba lleno de las personas que conforman mi mundo. Jefes bastardos, amores del pasado, amigos falsos. Sentí que en eso se había convertido en mi mundo, y tú tienes un aura de un mundo normal al que me siento atraído, e incluso seguro. —Alphonse deslizó su mano por la mesa, y tomó la mía. No sabía que contestar a ese gesto, pero en seguida enrojecí—. Tú me haces sentir valiente. Lo suficiente para enfrentar todo lo que no me gusta de mí.

—Alphonse…

—Lo siento por arrastrarte a todo esto. Es absurdo pensar en todo esto cuando, cuando nunca fuimos siquiera amigos fuera de la oficina. Yo… siento por como he actuado hasta ahora, y todo lo que ha ocurrido. Te prometo que mantendrás tu empleo. Sólo quieren mi cabeza, después de todo.

Alphonse bajó la cabeza, aun aferrándose a mi mano. Nunca lo había visto tan abatido, y de alguna forma era su expresión más honesta. No pude evitarlo. Le tomé de la mano de vuelta, y la tuve entre las mías. Él levanto su cabeza, cómo si no creyera lo que estaba ocurriendo.

—No es difícil sentir algo por ti, ¿lo sabes? —dije, casi al borde de las lágrimas. ¿Por qué estaba llorando? No lo sabía, pero no podía controlarme—. Es sólo que… hay algo que tengo que decirte. David y yo pasamos todo el fin de semana detrás de la pista de aquel hombre importante, aquel que le dijiste que no debía seguir continuando.

—Oh… entonces ya sabes…

—Sé que has vivido una vida rodeado de mujeres, y eso está bien. Es sólo que… yo no quiero ser una más.

Finalmente, terminé de romper en un llanto. Sentí las lágrimas bajar por mis mejillas, y separé mis manos de las de él. Dirigí la mirada hacia la ciudad, hacia el lugar donde todos nuestros problemas se reunían, lejos de la honestidad de la noche y las luces de Navidad. No quería que me viera llorar. No quería pensar en que no volveríamos a trabajar juntos, en que me había abierto a él y ahora me sentía vulnerable, en Max Lieber, en Beatrice Sullivan, en Pamela Jones, en David Smith, ni siquiera en Margaret Tennenbaum. Sólo quería irme a mi casa, acostarme en mi cama y llorar entre mis sábanas, en la seguridad de la soledad.

Alphonse se había quedado viéndome, pensando en que decir. Se le notaba en su rostro que una batalla tenía lugar en su mente. Finalmente, cerró los párpados, y se recostó hacia atrás.

—Quisiera contarte una historia, Maggie…

"Si has estado investigándome, puede que ya conozcas esta historia. De todas formas, quisiera contártela desde mi punto de vista. No justifica mis acciones, pero tal vez puedas sentir lo mismo que yo sentí, y tal vez entenderme mejor.

Todo empezó hace unos tres años. Beatrice y yo nos habíamos casado recientemente, y vivíamos la vida de pareja perfecta. Teníamos un buen apartamento, suficiente para los dos, con una vista preciosa. Teníamos un perro, un buen ingreso de dinero y progreso en nuestras carreras. Y claro, siempre hubo amor. Todas las noches, cuando cada uno regresaba del trabajo, teníamos una cena ligera que casi siempre nos saltábamos, pues nos sentíamos tan atraídos que al vernos teníamos que ir directo a la cama.

Así seguimos por más de un año, pero a medida que fuimos avanzando en el mundo laboral, nos fuimos distanciando. Es una historia vieja que ha sido contada mil veces, y tal vez por eso debimos verlo venir. Beatrice seguía expandiéndose con sus farmacias, y cada vez estaba más ocupada. A veces pasaba las noches frente al computador, trabajando, en lugar de hacer el amor conmigo. Lo que era peor, yo lo aceptaba, pues tenía mis propios deberes como editor en jefe de la sucursal de Platonic. Cada vez, nos tocábamos menos, nos hablábamos de forma más automática, y los sentimientos empezaron a banalizarse. Temí que no fuera capaz de sentir nada otra vez.

Finalmente, llegó una serie de eventos especiales que no fueron atendidos. Beatrice se olvidó primero de nuestro aniversario, luego de mi cumpleaños y luego del suyo. Finalmente, se saltó Navidad al tener que hacer un viaje de negocios del cual no me avisó hasta que estuvo en el avión. Cuando pienso en ello, no soy capaz de culparla, pues por lo distanciado que estábamos, yo podría haber hecho algo similar.

Esas navidades me sentía devastado. Empecé a sufrir de depresión, y tras dos semanas deseaba sentir cualquier cosa que no fuera tristeza. Estaba desesperado, y no tenía a nadie con quien hablarlo. No tenía amigos a quienes les importaran esa clase de cosas, y tampoco una mujer que estuviera allí para mí.

En uno de mis días libres en que no sabía cómo iba a gastarlo, decidí hacer algo además de quedarme todo el día en la cama. Era de noche cuando salí de mi apartamento, sin ninguna dirección en especial. Debido al frío, tenía puesto un abrigo negro, y así me sentía, como una negra figura, un fantasma recorriendo una ciudad teñida de blanca nieve. Tras horas y horas de tanto caminar, me detuve frente a un club para caballeros. Un lugar llamado El Lagarto Rojo. Nunca había entrado antes a un lugar como ese, pues nunca había tenido necesidad. Conoces a Beatrice, y sabes que es una dama muy hermosa, y puedo decirte que ella cumplía todas mis necesidades carnales… o al menos, eso hacía antes de distanciarnos. Necesitaba saber que era capaz de sentir algo más, que podía recuperar esa sensación cálida que es el contacto humano.

Finalmente, me decidí a probarlo, pensando en que no estaba

engañando a mi mujer si sólo entraba a tomarme un trago y observar a las chicas bailar. Abrí las pesadas puertas, y entré a este lugar oscuro iluminado sólo por las luces de neón de colores rosa, azul y amarillo. En medio de la habitación había tres caños separados, en los que bailaban tres mujeres diferentes. Siendo honesto, no me acuerdo de cómo se veían ellas. Creo que incluso evité mirarlas. Recuerdo haber ido directamente a la barra, donde atendía un hombre calvo con un gran bigote marrón. Pedí un whiskey con hielo, y tras pagar por el trago, decidí quedarme en la barra, de espaldas al espectáculo por el que una decena de hombres silbaban y clamaban.

Sí, ese lugar no era para mí. Decidí que iba a tomarme un trago e irme a casa, olvidándome de esa noche por completo. Debí de parecer alguien incómodo, como si fuera mi primera vez en un lugar como ese, pues escuché como el hombre de la barra hablaba con una de las bailarinas para que me hiciera compañía. Solté un bufido, pensando en una excusa para quitarme a esta mujer de encima, cuando ella me tocó el hombro y me volteé a verla.

Era una mujer de mi estatura, de piel bronceada y cuerpo bien definido, y una cabellera dorada natural. Usaba un traje de policía sexy, de esos que venden en tiendas de Halloween, sólo que un poco más reveladores y con dos largos aretes en sus orejas. Pero lo que más me llamó su atención eran sus ojos color de miel, y sus grandes labios rosa. Yo reconocía ese rostro. Y lo que era más, ella me reconocía a mí.

Resulta que esta chica era Sally Longbottom, una chica que había asistido al colegio conmigo. Claro que ella estaba un poco más cambiada. Había perdido el contacto con ella después de que se mudó a otra escuela en secundaria, por un escándalo con uno de los profesores. Sally siempre había sido una chica fácil, pero era divertido estar con ella. Era graciosa, y le gustaba hacer los mismos deportes que el resto de los chicos. En ese entonces, había tenido una buena amistad con ella, aunque nunca habíamos tenido nada.

Sally se emocionó al verme, y me saludó con un largo y fuerte abrazo, como si nada hubiera cambiado. Yo no me opuse, pues sentía la necesidad de tener cualquier tipo de contacto físico. Sally le dijo al hombre del bar que yo era un amigo importante, y que podía beber gratis si quería. Como dije, ella siempre fue una buena persona y una buena amiga, aunque sus decisiones de vida la habían llevado a un mundo laboral no muy aceptado socialmente.

Sin embargo, ella no parecía importarle. Nos sentamos en una mesa apartada de la barra y el espectáculo principal, donde pudiéramos hablar y compartir una gran cantidad de tragos. Me contó un poco de su vida hasta ahora. Me dijo que llevaba tiempo trabajando como *stripper*, pero que eso la hacía feliz. No era una prostituta, y aun así era capaz de llevarles felicidad a varios hombres extraviados. Al menos, algo así había dicho ella. Yo le conté un poco de mi vida, pero ella siguió indagando, como si quisiera saber todo sobre mí. Finalmente, me abrí con ella. Le conté de Beatrice, y de cómo nos habíamos estado distanciando últimamente. Casi lloré frente a ella, y no sé si ella lo notó, pero debió de saber que me sentía triste. Creo que fue por eso que todo ocurrió. Después de todo, ella era alguien que le traía felicidad a hombres extraviados, y yo era uno de esos.

Le hizo una señal al hombre de la barra para hacerle saber que me llevaría a uno de los cuartos privados, donde las chicas le bailaban a los hombres en el regazo. Claro que ella me dijo que la razón era porque no podía escuchar muy bien debido a la música, y que estaríamos más cómodos en un lugar aparte. Accedí, sin sospechar nada, y ambos nos dirigimos a uno de los cuartos laterales, dónde la música se escuchaba más alejada.

El cuarto era pequeño, casi como un baño. Había lugar para que se sentaran tres o cuatro personas, en asientos morados acolchados y pegados que rodeaban la habitación, y con una mesa en el medio en la que apoyar los tragos o a la chica de turno. En seguida, me senté o, mejor dicho, me dejé caer en uno de los asientos, esparciendo mis piernas y dejando que mi cabeza cayera hacia atrás. Las luces de neón hacían que mi cabeza diera vueltas, y tal vez fue el alcohol, pero por un momento me desprendí del ahora. Sentí como si flotara, cómo si me alejara de aquella situación. Mi vista era borrosa, y sólo veía luces que destellaban, haciendo que me mareara aún más.

Finalmente, y a duras penas, recuperé el sentido, al sentir algo en mis pantalones. Algo que se sentía muy bien. Puedo jurar que nunca sentí el momento en que Sally me desabotonó los pantalones, bajó toda mi ropa y empezó a darme una mamada.

Al principio, me quedé petrificado. Pensaba que estaba soñando, que debía de tratarse de un sueño. Los labios rosados de Sally, deslizándose por todo mi miembro, dándome pequeños besos que dejaban la marca del labial, y siempre observándome con esos grandes ojos color de miel. Entonces, justo cuando se lo metió en la boca, cuando sentí mi pene hundirse hasta tocar su garganta y lo sentí húmedo por la lengua que lo abrigaba, fue ahí que entendí que no se trataba de un sueño.

En seguida, la separé de mí, asustado por lo que acababa de ocurrir. Acababa de engañar a mi esposa, y lo que más me aterraba era que no me importaba. ¿Acaso no me importaba Beatrice?

Sally debió de haber visto mi lucha interna, y decidió hacer lo que en ese entonces, y tal vez aún, pienso que fue lo correcto. A pesar de haber sido apartada, ella se levantó las faldas de su traje de policía, y se quitó lentamente el pequeño hilo rojo que guardaba su sexo, hasta pasar por sus negras botas de tacón. Con el mismo pie, levantó su braga y la tomó con la mano, sólo para arrojarla hacía mí. Yo aún me sentía cómo si me hubieran plantado en aquel lugar y no fuera capaz de moverme. Ella entonces se sentó sobre mí, y empezó a besarme, no como una chica cualquiera, sino como si fuera mi esposa. Besó mis labios primero de forma tierna, cálida, acariciándome el rostro. Sally se sentía más como mi mujer que Beatrice. Entonces, apretó mi rostro contra el suyo, y me besó con fuerza, apasionadamente, metiendo su lengua dentro de mí. Ella tenía un sabor inigualable, dulce incluso, como una extraña pureza encontrada en un lugar conocido por no tenerla.

En silencio, y distrayéndome con ese beso, Sally pasó su mano detrás de ella, tocando primero su culo, y luego tocándome los genitales, jugando con ellos, hasta agarrar con firmeza mi miembro. Primero, lo masturbó tres veces. Una vez, primero lento, esperando a que mi pene se abriera y se acostumbrara al aire de la habitación, a su esencia, dejando entrever la cabeza tímidamente. Segunda vez, un poco más precisa, y mi pene listo para la acción. Pasó mi cabeza por la entrada de su sexo, como para tentarlo de lo que vendría. Tercera vez, y mi pene había crecido a su máximo tamaño, sin poder contenerse. Ella separó sus labios de mí, y me observó con una sonrisa, como si quisiera mostrarme algo. Intenté decir algo, pero ella me calló al ponerme un dedo en la boca.

Entonces, deslizó mi pene dentro de su vagina. Sentí todo el espacio dentro de ella, y al principio me sentí un poco decepcionado, pensando en todos los hombres que habían pasado por ahí. Pero olvidaba que ella era *stripper*, pero no prostituta. Sus cavidades se cerraron en mi miembro como la trampa de un oso, y cubrieron todo su tamaño como lo había hecho antes con la lengua, e igual de húmedo.

Estuve a punto de llorar. Esos besos, ese cariño en mi intimidad, esa penetración… así era cómo me trataba Beatrice, y podía sentirme explotar de pasión. Sally hecho su cabeza hacia atrás, cerró los ojos y se mordió el labio inferior. Aquel hermoso y dulce labio rosa. Aquella expresión me volvió loco, y pasé del tímido romance de ser tocado cuando no lo buscaba, a buscar esa fiereza que es la lujuria. Empecé entonces a moverme, lentamente, como si quisiera quitarle de encima, pero luego me aferré a su cintura con fuerza, y la empujé hacia mí. Ella gimió de placer, y esta vez tenía una expresión de sorpresa en su rostro. De sorpresa plácida, pues empezó a reír porque le gustaba lo que estaba sintiendo.

Me convertí en un animal. Empecé a ir cada vez más rápido, y ella siguió gimiendo y gritando "¡Sí! ¡Sĭ! ¡SIGUE! ¡SIGUE!", sin detenerse, y yo tampoco. La falsa placa de policía fue saltando al movimiento de sus senos, hasta salir desprendida en el aire y perderse en algún lugar de la habitación. Yo tenía la vista puesta en el rostro bronceado y colorido de Sally, con sus aretes saltando, el sudor en su rostro y la euforia brillando en todo su esplendor. Era como solía ponerse Beatrice. A pesar de ser dos mujeres completamente distintas, eso las unía. Esa sensación de que yo les proveía el placer que ellas querían, y que a la vez ellas me lo daban a mí no porque les tocará, sino porque querían hacerme sentirme bien, querían hacerme sentir parte de ellas. Casi, por un instante, sentí como si ella también me amara.

No pude evitar acabar rápido. Llevaba tiempo sin ser tocado, y había bebido mucho, aunque supongo que eso se escuchan como excusas. No fue sino hasta después de explotar dentro de ella, de llenarla con todo el tamaño de mi miembro y mi semilla en cada parte de ella, que me di cuenta de que no habíamos usado condón. Intenté pedir disculpas, pero ella me dijo que no importaba, que así lo había querido ella y que no había riesgo alguno, pues ella tomaba pastillas. Debí suponerlo, pero no pude evitar sentirme un poco incómodo, como si no hubiera sido suficiente para ella en aquel acto.

Recuerdo sus palabras exactamente. 'No importa. Te limpió con mi boca y luego vamos por la segunda ronda, ¿te parece?'.

Esas palabras, acompañadas de su cálida sonrisa, hicieron que mi corazón saltara por primera vez en meses".

11. EL CINE

—Basta. No puedo seguir escuchando —dije, interrumpiendo su historia. Pude ver cómo Alphonse estaba a punto de decir algo más, pero decidió que retraerse—. Lo siento, es sólo que esto es mucho para mí. Siguiéndote la pista, escuché más de una historia cómo esta, ¿sabes? Ya no puedo seguir escuchando sobre otras personas teniendo sexo.

—Bueno, deberías estar acostumbrada, ¿no crees? —contestó Alphonse, con una sonrisa de lado.

—Lo sé. No me importa que hayas tenido sexo con otras mujeres, de veras. Es sólo que... no es lo mismo cuando lo escucho venir de ti. Me duele pensar que hayas sentido todo eso...

Alphonse quedó mudo, pensando en qué decir. Finalmente, me tomó de las manos y me miró directamente a los ojos, haciendo que mi corazón latiera más rápido de lo normal.

—¿Quieres saber por qué te llevé a este lugar?

Asentí, lentamente, sin voltearme a verlo.

—He estado viniendo a este lugar por años, desde que no era nadie. Aquí siempre me sentí a salvo de mis ambiciones, de la persona en la que podría convertirme. Cuando estaba con Beatrice, vine menos a menudo. Pero siempre volvía. Esa es la magia de este lugar. Este siempre fue mi lugar, el que nunca compartí con nadie, dónde podía ser honesto conmigo. Y por primera vez, traje a alguien. Te traje a ti.

—¿Pero por qué yo?

—Porque me siento honesto a tu lado. Porque la magia de este lugar no se compara contigo, y siempre tuve miedo de ser directo contigo. Sé que he estado con varias mujeres, y es porque estaba buscando sentir algo que ninguna me hizo sentir, que Beatrice solía hacerme sentir cuando nos amábamos... es algo que sólo tú me haces sentir.

No sabía cómo contestar a eso. Sentía que tenía la boca abierta, y que no podía cerrarla. ¿Acaso Alphonse había estado enamorado de mí todo este tiempo? Yo había estado detrás de él, luchando por mis impulsos de confesarle lo que sentía, intentando alejarme de una relación prohibida como era tener una con mi jefe. Pero claro, él ya no era mi jefe…

Detuve mis pensamientos, o al menos eso intenté. Me levanté de mi asiento, sin dar explicación alguna, y caminé lejos de las mesas, hacia el mar que separaba la ciudad del otro extremo del puente. La luna brillaba en lo alto y se refleja sobre las aguas, como esperando a una noche de reflexión. Sentí que eso era lo que necesitaba, pero si apartaba a Alphonse podría no recuperarlo nunca más. Esta podría ser nuestra última noche juntos, y ahora que no era mi jefe, no sabía si podía permitirme alejarle sin analizar mis sentimientos.

Detrás de mí, sentí que Alphonse se acercaba por detrás. Con gentileza, me dio la vuelta, y se detuvo muy cerca de mí. Con un delicado gesto, Alphonse levantó mi cabeza, posando su mano en una mejilla mía, y yo sentía que iba a llorar de nuevo.

—¿A qué le temes, Maggie?

—No siento que sea suficiente para ti, y temo que después de un tiempo me dejes de lado. No quiero que me hagas daño. No quiero ser una mujer más.

Alphonse lo pensó por un momento, bajando la mirada por un segundo. Finalmente, preguntó: — Maggie, ¿quién te hizo daño?

"Siempre es tan sencillo, ¿no es así?" pensé, recordando mi primer amor, la razón por la que sentía una aversión natural hacia el amor, hacia las relaciones laborales, hacia el contacto sexual con otra persona.

Me relajé un poco, y apartado de las luces de la noche, empecé a relatarle mi historia.

"Nunca pensé, ni en mis sueños más atrevidos, que te estaría contando esto, pero supongo que te lo debo por haber sido honesto conmigo. Y no sabemos cómo terminará esta noche, o si nos volveremos a…

… No quisiera terminar esa oración…. Olvídalo.

Sobre lo que quería contarte… ocurrió hace varios años ya, y no puedo evitar sentirme mal cuando pienso en ello. No siempre viví en esta ciudad. Nací y viví mi primera veintena de años en un pequeño pueblo, cuyo nombre prefiero olvidar. Acababa de salir del bachiller, y con sólo 18 años estaba lista para enfrentarme al mundo, o eso creía. Sabía que quería ir a la universidad, pero no tenía dinero o padres que pagaran por mí. Como el resto de los mortales, tenía que conseguirme un trabajo de verdad.

Siempre sentí una pasión por las historias, y cómo no estaban buscando empleados para trabajar en las librerías, decidí por la segunda mejor opción: el cine. Mi madre me contó hace meses que demolieron el lugar, pero en ese entonces el Cinema Royale era el centro de diversión de toda la comunidad. Como dije, era un pueblo pequeño, y no teníamos mucho más que hacer. Claro, tampoco me molestaba ser parte de esa diversión.

Me contrataron casi en seguida, pues quien hacía las entrevistas era el dueño del local, y él contrataba a cualquier persona para el cargo, así que no tuve problema para entrar. El problema estuvo en mantenerme ahí, pues el gerente era un chico de uno 20 años llamado Geralt. Era alto y delgado, con el cabello listo negro y abundante, cubriendo toda su cabellera. Era un apasionado por el cine, y siempre me agradó esa parte de él, pero también era un controlador, y siendo la persona con mayor autoridad, necesitaba que el cine corriera a la perfección. La cantidad de palomitas de maíz que tenía que ser servida, la cantidad de mantequilla requerida, los turnos para lavar los baños o limpiar el *counter*, todo estaba calculado por él, y cuando algo no salía a su manera solía enfadarse con el empleado de turno.

Pero el verdadero momento en que brillaba era cuando manejaba el proyector. Era un teatro viejo, y teníamos uno de esos modelos que pocas personas saben usar. No sé por qué

Geralt sabía tanto, pero la sutileza con la que manejaba cada cinta filmográfica, ver como las negras tiras de celuloide pasaban por sus dedos, como cada parte estaba marcada para el siguiente corte... ver esa clase de dedicación y de control sobre lo que él quería de su vida, me atrajo. A pesar de que todos los otros empleados, y puede que el resto del pueblo lo detestara, yo me sentía fascinada por este ser. A Geralt no le importaba el afecto de los demás, ni buscaba ser agradable. Él era apasionado y eficiente por las cosas que le gustaban, y aunque los demás no lo vieran, yo lo observaba con atención. Él pensaba que yo quería aprender sus técnicas y secretos, pero la verdad es que sólo estaba obsesionada con él. Hasta el día de hoy, nunca aprendí a usar el proyector.

Sin embargo, esto no significa que Geralt me trataba con afecto por encima de los demás, pero si aprendí que tenía deseos humanos como todo el mundo. Verás, en el Cinema Royale todos los empleados tenían que usar un uniforme específico que consistía en una camisa de rayas negras y amarillas, las cuales no combinaban con nada. Además de eso, se tenía que usar un pantalón negro. Hubo un día en que iba llegando tarde al trabajo, y no encontraba la parte inferior de mi uniforme. Pensando que no tendría importancia, decidí usar una falda negra y corta en lugar del pantalón. Después de todo, me tocaba trabajar detrás del counter, y nadie tendría que presenciar mi falta de uniforme.

Ninguno de mis empleados dijo nada respecto a la falda, excepto que me veía sexy o cosas así. Sin embargo, cuando llegó Geralt, no se lo tomó muy bien. Recuerdo que me llamó aparte y me habló serio, con su tono controlador en el que pareciera que estaba a punto de perder los estribos, pero sin nunca perderlos. Yo bajé la cabeza y acepté el regaño; así de enamorada estaba de él, que no era capaz de negarle nada. Pero ese encuentro me sirvió para ver su lado humano. Después de todo, cuando me volteé para seguir con mis asignaciones, mi falda se levantó un poco más de lo normal, revelando la entrada entre mis muslos, casi llegando a mis bragas. Y claro, Geralt no me pudo quitar los ojos de encima, incluso después de que me cubrí detrás del *counter*. Él pensaba que yo no lo había notado, pero era evidente como su imaginación había salido a volar de su cabeza al presenciar un lado mío femenino, y ligeramente sexual.

Pasaron semanas, y llegó el estreno de una película de franquicia, de esas que tiene fanáticos acostados a las afuera del cine sólo para comprar las entradas, y con decenas de ellos vestidos como personajes de la película. En esos días, el Cinema Royale brillaba. Era toda una sensación llegar para abrir las puertas de cine, y tener a la cola de futuros espectadores aclamando tu llegada con aplausos. Siempre me sonrojaban esos momentos.

Luego, empujar las pesadas puertas de plástico morado, y ver todo el lugar iluminado y pulcro por la noche anterior. Poder oler las palomitas de maíz y la mantequilla, con su aroma invadiendo el aire, y ver los nuevos pósters de próximas películas. Siempre aprecié esos pequeños detalles de mi trabajo, y que siempre recordaré. Y claro, al ver a Geralt inspeccionar todo el trabajo de la noche anterior y no verlo alterarse también era agradable.

Claro que para quienes trabajamos ahí, la noche de estreno siempre era la más transitada. Siempre había colas de clientes enfadados, esperando que se les atendiera más rápido de lo que fuera humanamente posible. Por suerte, tras atender a una cantidad de fanáticos enloquecidos, me tocaba el trabajo de proyección, junto a Geralt, el cual era el trabajo más sencillo y relajado porque mi supervisor se encargaba de todo.

La sala se había llenado, la película había empezado y todo marchaba bien, de acuerdo al plan. Pero a mitad de película, Geralt recibió una llamada que dijo que tenía que atender. Parecía algo importante, como si fuera una universidad que había aceptado su aplicación o un familiar cercano en el hospital. Al quedarme sola en la cabina de proyección, sentí un poco de pánico. Sabía que en cualquier momento me tocaría a mí asumir el mando, y sin la supervisión de Geralt, era probable que cometiera un error. No era sólo que no quisiera decepcionarlo, sino que tampoco quería arruinar una noche de estreno.

Supuse que pronto vendría el próximo cambio de cinta, así que empecé a analizar la complicada máquina. Halé palancas, toqué botones, y en medio del pánico alarmante, hice lo que tanto temía. La pantalla se puso en negro, y el sonido se apagó completamente. Algo había hecho que había apagado el proyector, o tal vez había muerto. Empezaron a escucharse los gritos de los fanáticos, pidiendo una explicación o un reembolso de sus entradas.

Escuché una puerta abrirse de golpe detrás de mí, y me sobresalté del susto. Era Geralt, y parecía más enfadado de lo que jamás había visto. Empezó a gritarme sobre lo mala que era como empleada y cómo no servía para nada. A pesar de lo que sentía por él, él pánico me hizo gritarle de vuelta. Empezamos una discusión en medio de la cabina de proyección, mientras que la audiencia seguía gritando. Finalmente, Geralt se dio media vuelta, y arregló el proyector. Fue una tontería, hizo un par de cosas y todo seguía como si no hubiera pasado nada, pero yo seguía dolida por todo lo que me había dicho.

En voz baja, seguimos nuestra discusión, en medio de los sonidos de una batalla épica que callaba todos nuestros susurros enfadados. Y tras mucho mirarnos de cerca, enfrentar nuestros pechos y susurrar exaltados del enfado y del pánico, pasó lo que era evidente que tenía que pasar, pero que jamás pensé que Geralt haría. Él me besó, interrumpiendo mi último susurro enfadado. Era un beso incómodo, donde usaba mucha lengua y no estaba muy seguro de qué hacer, pero para mí era el mejor beso que había tenido. Era... mi primer beso.

Empezamos a besarnos cada vez más apasionadamente, y pasé sus manos por debajo de su camisa, enterrando mis uñas en su espalda. Me despegué de él y empecé a pasar mi lengua por lo largo de su cuello, para luego besarlo con fuerza. Si algo de aquello le gustaba, no lo demostraba. Parecía ser tan preciso y calculador con el sexo como lo era con el proyector de películas.

Sin perder el tiempo, él me desabotonó los pantalones y me los bajó hasta que estuvieron por encima de mis rodillas, dejando entrever mi culo y las bragas moradas. Él... me hizo sentir deseada. La forma en que se obsesionaba con la entrada entre mis muslos, podía sentir como sus ojos se restregaban contra cada pedazo de piel de mi cola, como sus manos delgadas y fuertes se aferraban a cada parte de mí, tomándome como tenía que ser tomada. Tocándome donde tenía que ser tocada, deteniéndose por encima de mis bragas, justo en el punto donde empezaba a humedecerme. Cada gota de sudor que había corrido por mi cuerpo había desaparecido, y empezaba a sentirme mojada por el brusco cambio del pánico a la excitación.

Tras apreciarme, me quitó las bragas, lentamente, calculadoramente, con mucha precisión, hasta bajarla a la misma altura de mi pantalón, exponiendo mi sexo como si fuera una obra de arte en un museo. La oscuridad de la cabina de proyección ocultaba nuestro acto prohibido, nuestra falta a la ética laboral que Geralt tanto había respetado hasta ahora. La única luz venía del proyector y la pantalla de cine, y cómo se reflejaban en mis ojos.

Geralt me tomó de la cintura con cuidado, y me llevó hasta la ventana por la que pasaba la luz del proyector, de forma que podía ver a toda la audiencia. Hizo que me inclinara, de forma que quedé con mi abdomen apoyado con el marco de la ventana. De un lado, era una chica más que parecía estar disfrutando de la película un poco más de lo normal, y del otro lado era mi parte posterior, recibiendo la verdadera razón por la cual estaba tan emocionada. Por suerte, como era una audiencia de puros fanáticos, nadie se volteaba por casualidad, pues nadie quería perderse lo que ocurría en pantalla. Era como si Geralt también hubiera calculado eso.

Una vez que estuve en mi lugar, pude escuchar el cierre del pantalón de Geralt bajarse. Tras esperar unos segundos, sentí unos fríos dedos tocarme por detrás, de forma brusca e incómoda. Hoy puedo notar la falta de experiencia, pero en ese entonces era mi primera vez, y no sabía cómo tenía que sentirme. Sólo sé que, por lo mucho que había esperado ese momento, por lo excitada que estaba y por lo mucho que lo amaba, se sintió muy bien.

Me tocó por varios minutos con sus dedos, metiéndolos tan profundo por mi sexo como podía, pasando por las paredes de mi vagina. No podía evitar apretar mis muslos al sentir su toque, fuerte y tembloroso dentro de mí. Tras ese preámbulo, separó sus dedos, y supe lo que venía. Por estar volteada, no podía verlo, pero sabía que esa presión contra mi sexo debía de ser la cabeza del pene. Estaba un poco asustada, pues toda esa experiencia era nueva para mí. Al principio, me dolió un poco cuando él entró dentro de mí, y pude sentir que mi piel se estiraba un poco, pero después de dos estocadas empezó a deslizarse con más facilidad. Si me dolía, ya no importaba. Estaba muy excitada, y me encantaba sentir aquel miembro dentro de mí, y creo que lo disfrute de más. Tuve que hacer un tremendo esfuerzo para no gemir en voz alta y que toda la sala se volteara a verme. Pero cada penetración era más rápida y más temblorosa. Sí, él era un inexperto, pero era la primera persona que me hacía sentir deseada, que me hacía sentir mujer.

Al cabo de unos segundos, él acabó, y me llenó por completo por dentro. En seguida temí quedar embarazada, pero recordé el mito que una amiga solía repetir de que nadie quedaba preñada en su primera vez. Además, cualquier miedo se disipó al sentir la cálida sensación de esperma llenándome por completo, cómo si todo este tiempo hubiera un hueco dentro de mí, algo que me faltara, y Geralt lo había llenado por completo.

Después del acto, me volteé a ver a mi nuevo amante, quien

por primera vez tenía una sonrisa en su rostro. Era como si todo el peso de un trabajo bien hecho, de sus cálculos y precisiones en cada proyección laboral hubiera sido liberada de sus hombros, y por primera vez era capaz de relajarse. Él se limpió con la parte de adentro de su camisa, y se subió los pantalones. No sabía que decir o cómo continuar después de aquello, así que sin palabra alguna, me dio un beso en los labios, un beso largo y tierno, y luego salió de la cabina de proyección.

La próxima noche, estaba en la cabina para el segundo día de estreno. En lugar de mi pantalón negro de uniforme, estaba usando la falda negra por la cual él me había regañado antes. La falda reveladora que había hecho volar su imaginación sexual, y si se enfadaba conmigo o si se excitaba era igual para mí. Sabía que lo terminaríamos haciendo, y estaba emocionada por el siguiente encuentro. Incluso me había maquillado más de lo usual, y estaba lista para usar mi boca con él, cuando nunca lo había hecho con nadie más, sólo para mantener nuestro romance en la oscuridad de la cabina de proyección.

Pero Geralt nunca volvió. Cuando salí de la cabina a buscarlo, me enteré de que había renunciado, y que otro de los empleados había tomado su cargo como gerente. Salí del cine, a pesar de ser mis horas laborales, para buscarlo en su casa, pero su hermana menor me dijo que no estaba. Lo busqué en cada esquina de mi pequeño pueblo, pero no lo encontré. No fue sino varias semanas después que me enteré de que tenía planes de irse a la ciudad desde hacía un tiempo. Yo era joven y estaba enamorada, así que hice lo más estúpido que pude hacer. Cambié el curso de mi vida por la vida de un chico.

Fue así como llegué a esta ciudad, en busca de él, esperando que el destino nos reencontrara de alguna forma. Si era amor de verdad, entonces teníamos que volver a vernos de alguna forma, ¿no? Pues nunca más lo volví a ver. Con el tiempo dejé de amarlo. Me instalé en esta ciudad, y estaba tan cómoda que no quise regresar al pueblo del que vine".

—Aprendí de esos años en que quedé devastada. Fui capaz de diferenciar el amor de la obsesión, y entender lo que sentía. Sin embargo, volver a confiar en alguien es algo que todavía me cuesta. La cicatriz de ese amor nunca sanó por completo, y algunas noches aún me siento igual de vulnerable. Yo… yo sólo no quiero volver a sentirme así. Nunca más.

Ya no tenía nada que decir. Nunca me había abierto de esa forma con otro ser humano, y no pensé jamás que Alphonse Rieter sería la primera persona a la que le contaría esto. Sentí un alivio por haberme liberado de ese secreto, pero a la vez había una profunda tristeza que parecía haberme cubierto en un velo. Alphonse no hacía más que observarme con pena, como si quisiera consolarme pero no supiera que hacer.

La tensión la cortó Grace, al llegar al puesto donde habíamos estado sentados con una bandeja de comida. Colocó dos platos sobre la mesa con dos refrescos de cola, y nos hizo una señal para que fuéramos a comer. Evidentemente, yo no respondí a sus señas, y Alphonse tuvo que hacerlo por los dos. Grace asintió con la cabeza, y se regresó hasta su puesto, pasando por una entrada en la parte trasera del tráiler.

—Creo que te haría sentir mejor que comiéramos algo —dijo Alphonse finalmente, con una triste sonrisa. Posó una mano sobre mi hombro—. Después de todo, no vengo a este lugar sólo por la vista. La comida también es excelente.

Asentí, con la misma sonrisa que él me había dirigido. Era una sonrisa falsa, una que cubría una expresión de angustia que los dos sentíamos por los secretos confesados. Él me tomó de la mano, y me llevó de regresó a la mesa.

A partir de ahí, fue como si hubiéramos tenido una cita normal. Tuvo razón al decir que la comida me hizo sentir mejor. Eran sándwiches de tres pisos, rellenos de tocineta, pollo, carne y al menos cinco ingredientes más. Además, Alphonse hizo lo posible por hacerme reír y que me olvidara de todos los problemas con los que había cargado hasta ahora. Me preguntó por mí, por mi familia, por mis intereses. No me importaba si de veras estaba interesado en mí o era una farsa creada por que no sabía hacerme sentir mejor, pues cumplía con su propósito. En poco tiempo, estaba riendo en voz alta, en lo ridícula de la situación al estar vestidos de gala en un lugar donde sólo se detenían camioneros y transeúntes que se escapaban de la ciudad.

Una vez que terminamos con la comida, Grace se acercó a nosotros para ver si queríamos algo más. Alphonse se dispuso a pagarle, pero ella dijo que la comida iba por la casa, con tal de que volvieran pronto. Ambos le agradecimos y nos despedimos de ella. En dirección al auto, nos detuvimos justo al frente, pues ambos desconocíamos lo que venía después. Si era una cita, ¿debería ser continuada por sexo? ¿debería llevarme a casa, y perderse para siempre ya que nuestras vidas debían de separarse ahora que ya no era mi jefe? ¿o seguiríamos manteniendo el contacto después de esta noche? ¿seríamos amigos? ¿había lugar para el amor?

La cabeza me empezó a dar vueltas. Alphonse me preguntó si estaba bien, y le dije que no pasaba nada. Él me abrió la puerta del auto, nunca olvidando sus modales de caballero, y me senté en el asiento del copiloto. Una vez que Alphonse entró y se sentó en su lugar correspondiente, estuvimos listos para irnos. El problema era que ninguno de los dos sabía a dónde teníamos que ir, o si queríamos irnos si quiera.

Tras un minuto de completo silencio, Alphonse se volteó a verme con una sonrisa.

—Maggie… gracias por haberme contado todo, por haberte abierto conmigo. Tu confianza es un regalo invaluable.
—Gracias, Alphonse. Lo mismo digo.
—Y creo que sé qué podemos hacer a continuación.

Quería preguntarle, pero un rastro de picardía en el rostro de Alphonse me indicaba que quería mantenerlo como una sorpresa. ¿A dónde quería llevarme?

12. La Agencia Platonic Parte 2

Debí suponerlo. Al regresar a la ciudad, fuimos pasando edificios y calles que cada vez se volvían más y más familiares, hasta llegar a nuestro próximo destino, la Agencia Platonic. Al ser tan de noche, la entrada al garaje estaba cerrada, por lo que Alphonse tuvo que estacionar su auto al lado de la acera. Por suerte, él siempre tenía las llaves de su oficina consigo, así que no tuvimos problemas en entrar. Pasamos por la recepción, y subimos por el ascensor hasta llegar al espacio laboral principal.

—Se siente como un pueblo fantasma, ¿no lo crees? —dijo Alphonse, mientras yo me adentraba al centro de la habitación, pasando por los muebles en los que David siempre tiraba la chaqueta.

—Y así será después de que te hayas ido —respondí, y él se rió—. No será igual sin ti.

—Estoy seguro de que nada cambiará —dijo, y caminó hasta estar a mi lado—. Aunque tal vez le den mi puesto a Pamela. Después de todo, es la única de esta oficina que aún mantiene contactos con los peces gordos.

—Si en serio crees eso, tal vez deberían despedirme a mí también. Sería un alivio.

Esa vez los dos reímos, y de repente sentí una conexión especial con Alphonse. No sabía en qué momento había ocurrido, pero en el transcurso de la noche había dejado de estar nerviosa ante su presencia. Aunque suene absurdo, temí lo que eso podría significar. No estaba lista para enamorarme perdidamente y entregarme a un hombre por completo, aun cuando sólo lo estaba comparando con un amor del pasado.

Si mi expresión cambió al pensar en esto, Alphonse lo notó. Se acercó a mí, y me tomó de la mano.

—Ven. Tenemos que entrar por última vez.

Le sonreí, y los dos subimos las escaleras de caracol, hasta entrar en la oficina del gran jefe, con las paredes de ventana dando hacia la hermosa vista de la ciudad, los lados cubiertos de papel de pared verde oscuro y de artículos exitosos de la revista enmarcados. Caminamos hasta estar al lado del gran escritorio, uno que no tenía fotos de nadie más que de Alphonse abrazando a su perro, y entonces pensé en los eventos de la veterinaria, en la persona importante que había traído a su Golden Retriever de nombre Billy. Era la misma mascota.

Suspiré. A pesar de lo mucho que se había abierto Alphonse conmigo, no estaba lista para lanzarme de lleno al pozo del amor. Me sentía… insegura. ¿Cómo saber que él podría sentir lo mismo que yo?

Una vez más, mi estado emocional parecía interrumpir cualquier magia en el ambiente, y Alphonse se acercaba para intentar disuadirme de aquellos pensamientos, pero eran muy fuertes. Inconscientemente, me alejé de él. Le di la espalda, mientras que caminaba para observar la nada a través de la pared de cristal.

—¿Qué ocurre, Maggie?

Volteé la cabeza de lado para darle una rápida mirada. Tenía las manos dentro de los bolsillos de su pantalón, la cabeza levantada y una expresión de tristeza o de pena que debía de sentir hacía mí o debido a mí. De igual forma, era desgarrador.

—Es sólo que… aún pienso en todas las historias que escuché de ti. La chica de la veterinaria, la stripper, tu ex esposa y la mujer con la que la engañaste en la farmacia… son muchas personas a las que le has compartido tu amor.
—Lo sé. Buscaba a alguien que pudiera llenar el vacío dentro de mí, y no me arrepiento de la persona que fui cuando estaba desesperado.

Volví la cabeza a la ventana, y la bajé. Escuché los pasos de Alphonse acercarse hacia mí, y apoyó sus manos a los lados de mis hombros. Entonces, me dio media vuelta, y me obligó a verlo a los ojos.

—Pero nunca sería esa persona otra vez. No si te tuviera a ti.

—Alphonse…

—Tú eres la única persona que me hace sentir completo, Maggie. Contigo, nadie más es necesario. Sólo tú.

Volví a sentirme nerviosa. Volví a sonrojarme, y a sentirme tonta. Y por cómo se inflaba el pecho de Alphonse, pensé que él debía de volver a sentir algo. Acercó su cabeza a la mía, y sentí que entraba en un mundo de sueños, como si fuera la misma chica desesperada y perdida de amor que era cuando tenía 18 años. Sus labios estuvieron a sólo unos centímetros de los míos, y primero se rozaron con ligereza, como comprobando que el otro no opondría resistencia. Finalmente, culminó la provocación con un apasionante beso. Mi pecho se infló y sentí una gran presión en él. Él apoyó una mano en mi mejilla, mientras que la otra la usaba para presionarme la parte baja de la espalda hacia él, para que estuviera lo más cerca que pudiera a él.

"Estoy besando a Alphonse. Alphonse Rieter. Mi sensual y galán jefe. ¿Qué está ocurriendo? ¿Acaso estoy soñando?" pensé, pero a pesar de lo tarde que era, no se trataba de una fantasía de media noche. La persona que me estaba besando era… era él.

Así estuvimos por al menos un minuto. Entonces, él se separó un poco, y volvió a besarme varias veces, como ráfagas de un arma de fuego. Cada beso hacía que mi corazón latiera con más y más fuerza. Arrojé mis brazos alrededor de su cuello, y luego deslicé mis manos hasta tenerlas en sus mejillas. Pude sentir lo gruesa que era su barbilla. Era tan varonil, como la de un príncipe de cuentos de hada, y no podía evitar halarlo hacia mis labios. Cerré los ojos, y me dejé llevar en este mundo que siempre había sido prohibido para mí.

Lo siguiente que tenía que ocurrir parecía evidente. Esta oficina se había convertido en la cabina de proyección de cuando trabajaba para el Cinema Royal. Pero en lugar del incómodo sexo de una chica obsesionada, hacía el amor de forma tierna, como una mujer.

Alphonse dejó de besarme, y puso su frente contra la mía. Me tomó de la cadera, y con gentiliza me subió a su escritorio. Separé mis piernas con cuidado, tímidamente moviendo los cortes de mi negro vestido para exponerme, y él respetó la calma con que nos tomamos el absorber la esencia del otro. Era así como tenía que sentirse. Alphonse volvió a besarme, mientras que deslizaba sus manos entre mis piernas, por debajo del vestido, apartando toda tela de su frenético y suave toque. Con cuidado, tomó los lados de mis bragas y las deslizó debajo de mis muslos, hasta llegar a mis zapatos de tacones. Al darse cuenta de ellos, también me los quitó. Era como si quisiera que estuviera lo más cómoda posible para el acto sexual, no sólo físicamente, sino también de forma emocional.

Tras inclinarse sobre sus rodillas para quitarme los zapatos, pensé en que se levantaría para penetrarme. Pero en lugar de eso, lo único que subió fue su cabeza, en un camino de besos que empezó por mi pie y que siguió hasta llegar a mis muslos. Mientras más se acercaba a mi sexo, sentía un cosquilleo de excitación que me hacía temblar un poco. Mi piel se había sensibilizado con los besos de mi amante. Y para terminar de darme un escalofrío de placer, al llegar a mi vagina, no la besó, sino que uso su lengua de una vez. Pero no eran lamidas rápidas, sino besos franceses dentro de mí. De alguna forma, era romántico, y excitante a la vez. Parecía explorar con su lengua cada parte de mí, y se tomaba su tiempo. A veces se separaba para seguir besando mis muslos, y a pesar de que ya me había tocado en la parte más sensible, mi piel seguía estremeciéndose.

Entonces, se levantó, y me tomó de la mano para indicarme

que me bajara del escritorio. Como un tango lujurioso, decidí que fuera el hombre quien me guiara en ese baile de mutuo placer. Al estar frente a frente, él se quitó su chaqueta de gala, y yo lo ayudé con la corbata. Al abrir la camisa de botones, me quedé fijamente observando su fuerte y viril pecho, y su abdomen marcado por las horas de ejercicio. Pasé una mano por su gran torso desnudo, y pude sentir la vibración de su cuerpo estremeciéndose ante mi toque. Cada parte de él era dura como roca, a pesar de que su piel se sentía absurdamente suave bajo mis dedos. No tenía ni un pelo entre el cuello y la cintura, y sospechaba que abajo era igual.

Quise quitarle el pantalón, pero era su turno de desnudarme a mí. Con mucho cuidado y facilidad, me quitó las tiras en los hombros de la que colgaba mi vestido, y sentí como este caía al suelo. Con una ágil mano, tocó mi abdomen, y subió hasta encontrarse con mi sostén, el cual se abría por delante y que él no tuvo problema en adivinar. Al escuchar el sonido de la última prenda de mi cuerpo cayendo, me percaté de la situación en la que me encontraba. Estaba completamente desnuda frente al señor Rieter, usando nada más que un collar de perlas y un par de zarcillos dorados, y él sólo estaba usando sus pantalones y sus zapatos, demostrando los fuertes músculos de sus brazos y pecho, sudando ante la calidez de mi toque.

—Acuéstate sobre mi escritorio —susurró.

—Pero las cosas... —dije, señalando la computadora, los papeles impresos, el teléfono y los cuadros que Alphonse tenía de él y su perro.

—No me importa —contestó, y con una barrida de su brazo, todas las cosas encima de su escritorio cayeron al suelo, incluyendo el monitor de la computadora, haciendo un terrible estruendo al chocar con el suelo—. Todo es propiedad de una compañía en la que ya no trabajo.

Rápidamente, Alphonse se quitó los zapatos, medias y pantalones, quedando sólo con su ropa interior negra. A diferencia del resto de su vestimenta, se removió su bóxer de forma ceremoniosa, como si buscara provocarme. Al ver su miembro no pude evitar sonreír, y dejé que se vieran todos mis dientes. A pesar de que me había imaginado el pene de Alphonse en mis numerosas fantasías, la realidad superaba a la ficción. Era mucho más grande de lo que imaginaba, y no era ni muy grueso ni muy delgado. Era perfecto, como toda parte de él. Y tenía razón antes, al pensar que no debía de tener ningún pelo debajo de la cintura.

Alphonse debió notar mi sonrisa, pues sonrió de la misma forma que yo: —Deberías sonreír así más a menudo. Eres tan hermosa cuando lo haces.

Me sonrojé, y no sé si fue el cumplido o el viril falo que pulsaba frente a mí, pero sentí como humedecía entre mis muslos, y tuve que apretarlos para que no se notara, mientras que apoyaba mi culo y las manos en el escritorio. Él se acercó a mí, y cuando su miembro rozó contra mi pierna, pulsó con fuerza, y sentí como cada parte de mí se estremecía. Alphonse apoyó su mano sobre mi pecho y colocó otra en mi espalda. Lentamente, hizo que me acostara sobre el escritorio, y yo dejé que me guiara, como dejaría que me usara de la forma que él quisiera. Y pudo ser rudo conmigo si quería, o metérmelo hasta la garganta, o ahorcarme con sus manos. Yo era completamente suya, y en lugar de eso, él hizo lo posible porque fuera tan tierno y dulce como tenía que ser.

Inclinó su pecho sobre el mío, con una mano en mi mejilla para acercar mi rostro al suyo, mientras que con la otra colocaba su miembro dentro de mí. Había hecho esto, según me dijo luego, para observar mi expresión de cerca cuando me penetrara por primera vez. Sentí la cabeza, que lentamente presionaba contra mí, y abría mis labios que llevaban años sin abrirse. Era como ser virgen de nuevo, como una nueva sensación fálica que me llenaba por completo con su poder masculino, haciendo que cada parte de mí se tensara. Al principio sentí que dolía un poco, y él lo notó, así que fue con más cuidado, hasta que por fin estuvo dentro de mí completamente.

—Dios, es demasiado grande... —dije en voz alta,

pensando que más bien estaba pensando esas palabras—. No pensé que fuera a caber dentro de mí...

—¿Te gusta?

—Me... encanta... —dije, sintiendo como el gran miembro invadía cada parte dentro de mí, inflando mi pecho y cortándome la respiración—. Por favor, sigue.

Alphonse lo sacó sólo una vez, lentamente, y lo volvió a meter a profundidad. Aquella sensación del miembro deslizándose en mi clítoris me hizo abrir la boca de la excitación, y Alphonse aprovechó esa oportunidad para besarme con ternura. Cerré mis ojos, y empecé a sentir nuevas estocadas, lentas y precisas, yendo a profundidad pero sin buscar desgarrarme en dos. Empecé a sentirme cómoda con cada penetración de Alphonse, y empecé a pedirle que fuera cada vez más rápido. Él separó sus labios de los míos para poder verme directamente a los ojos mientras subía la velocidad. Me mordí el labio inferior para evitar que se escaparan mis gemidos, pero Alphonse colocó su pulgar en mi boca para abrirla.

—Quiero que te sientas libre de gemir todo lo que quieras.

—Pero...

—Gime.

No podía negarme a esas órdenes, y no podía resistirme. Hacer el amor con Alphonse era una fantasía tan lejana para mí, que al volverse realidad no era capaz de controlarme. Más que gemir, grité. Mi cuerpo se había vuelto un canal de sonidos sexuales, todos producidos por el gran miembro de Alphonse que, al escuchar mi respuesta de placer, hacía que su miembro creciera aún más dentro de mí, y pulsara con más fuerza. Mientras más gemía, más profunda era la penetración, y los dos íbamos incrementando cada vez más. Sentir su peso sobre mí, el sudor de su cuerpo, su pecho rozando con mis senos, sus dedos recorriendo mi espalda, desde mi nuca hasta el culo, dejar que él moviera mis piernas para acomodarse... cada una de éstas era una experiencia nueva y excitante que estimulaba mi sentido del tacto.

Entonces, empecé a escuchar cómo Alphonse producía sus propios sonidos, y pensé que se acercaría el momento en que acabaría adentro. En lugar de eso, Alphonse sacó su miembro de mi sexo y me tomó de la parte inferior de mi cuerpo y me levantó con mucha facilidad. Instintivamente, rodeé su cuello con mis brazos, y dejé que me sostuviera en el aire. Era increíble ser testigo de su fuerza corporal, al ver cómo me cargaba hasta llevarme a la pared de su oficina. Sin soltarme, forcejeó un poco con su miembro hasta volver a metérmelo. Estando yo sin ningún apoyo para que mi cuerpo flotara además de sus muslos, pude sentir su miembro con un nuevo nivel de profundidad. Quise morderme el labio, pero la sorpresa se había petrificado en mi rostro.

—Sigue —fue lo único que fui capaz de decir, pues sabía que esta nueva posición me haría acabar en segundos—. Por favor, no detengas nunca.

Alphonse no contestó, sino que decidió hacer lo que le había pedido, y muy diligentemente. Al principio, me empujó contra la pared con cada nueva penetración. Me dolía la espalda, pero no me importaba. No quería que se detuviese. Estar colgada en el aire así hacía que cada parte de mí se estremeciera de placer.

—Oh Dios, sigue. Sigue. ¡Sigue! —grité, aferrándome a sus hombros, hundiendo mis uñas en su piel. Si le dolía, no lo mostró—. ¡Voy a acabar! ¡No te detengas! ¡Voy a…!

Una vez más, Alphonse me tomaba desprevenida. Justo cuando estaba tan cerca de culminar con el mejor orgasmo de mi vida, me separó de la pared, dejando que mi cuerpo se apoyara encima del suyo. Todo movimiento de mi parte se detuvo, pues el miedo a caerme hizo que me aferrara a él con fuerza. Su rostro había quedado en mi cuello, y podía sentir la calidez de su aliento. En ese momento, él empezó a penetrarme tan rápido como se lo permitían sus muslos, puestos estos hacían todo el trabajo al levantar todo mi cuerpo. De la cintura para arriba, ambos estábamos estáticos, mientras que por debajo una oleada de movimiento y placer invadían nuestros cuerpos.

Entendí la definición de orgasmos múltiples cuando separé su rostro de mi cuello para poder verlo a los ojos directamente, mientras que me hacía acabar. Sentí como mis músculos vaginales se tensaban, y luego se dejaban ir, y la corriente de excitación y placer recorrió mi cuerpo. Llené su miembro de mis fluidos, y a cambio, él hizo lo mismo por mí. Sentí el torrente de esperma llenándome por completo, cada parte de mí, y los dos no pudimos evitar gemir durante la eyaculación. Me sentía llena en más de un sentido, pues Alphonse había sido capaz de quitar mis miedos e inseguridades respecto al sexo. Siempre lo amaría por ello.

Ambos seguimos jadeando por un rato. Él aún me cargaba, y se notaba que estaba haciendo un tremendo esfuerzo, por lo que me bajé y decidí recostarme en el escritorio. Sentía el semen bajar por entre mis muslos, como grandes gotas de sudor. Por su parte, Alphonse caminó hasta su silla, y se dejó caer.

—¿Maggie? —dijo Alphonse, tras varios minutos en silencio, en dónde sólo se escuchaba nuestros jadeos.

—¿Sí?

—Creo que te amo —dijo, cerrando los ojos y sonriendo.

Esas palabras habían volado por la habitación, hasta llegar directas a mi corazón. Alphonse me amaba. Alphonse. Alphonse Rieter, la persona que era mi jefe, pero ahora era más. Era mi amante, y la persona con la que me sentía segura de dejarme explorar, de dejarme tomar, de dejar mi lado más íntimo y vulnerable a la luz, y que él fuera capaz de tomar ese lado entre sus manos y besarlo.

Lo observé directamente a los ojos, esta vez sin ningún rastro de nervios al hablar: —¿Listo para la segunda ronda?

13. NOSOTROS

Estaba terminando la última de las maletas, cuando escuché el timbre resonar por todo el apartamento. Emocionada, atendí el intercomunicador, pensando que se trataba de Alphonse, pero fue la voz de David la que habló.

—Buenos días, corazón —dijo con un tono de voz mucho más alegre del que tenía la última vez que hablamos—. ¿Puedo pasar, o tienes algún galán sentado desnudo en tu sofá?

No le contesté, pero no pude reprimir una sonrisa. Toqué el botón para abrirle la puerta, y esperé a que subiera hasta el apartamento. Al abrirle la puerta, me encontré con un David vestido con un traje marrón de camisa azul y corbata negra. Su cabello era evidencia de que había pasado por la peluquería, y un fuerte olor de colonia costosa invadió mi apartamento.

—¡Sólo mírate! —dije, y lo abracé para saludarlo.
—Tú no estás nada mal tampoco —contestó con una sonrisa, haciendo alusión de mi abrigo blanco de invierno. Se despegó de mí y me observó de arriba a abajo—. ¿Acaso es un regalo de…?
—Así es. Quiere llevarme a Paris este fin de semana —dije, emocionada. Tomé a David de la mano y lo halé hasta el sofá—. Es increíble. Es la mejor pareja que he tenido.
—Es la única pareja de verdad que has tenido —dijo David, en tono burlón—. Tu obsesión adolescente no cuenta.
—Tienes razón —dije, sonriendo para mis adentros—. Pero vamos, cuéntame por qué estas usando traje. ¿Me estoy perdiendo de una ocasión especial al irme de viaje?

David se levantó, como si estuviera a punto de hacer una presentación. Se situó entre el televisor y el sofá en el que estaba sentada, y se estiró las mangas de su chaqueta como si buscara que estuviera lo más pulcra posible.

—Pues, estás viendo al nuevo editor en jefe de la Agencia Platonic.

No pude evitar gritar de la emoción.

—¡David, eso es increíble!

—¡Lo sé! —dijo. Me levanté y tuve que atacarlo con un fuerte abrazo. Noté que David estaba u poco tenso al respecto—. ¿No crees que Alphonse se sienta molesto por ello? Quiero que me inviten a la boda, después de todo.

—Dudo que se moleste. Conociéndolo, es posible que incluso haya usado la poca influencia que le quedaba para recomendarte para el puesto.

Al oír esas palabras, David relajó sus músculos, y la sonrisa que cubría su rostro parecía de pronto más honesta. Ambos nos sentamos en el sofá de nuevo, pero esta vez nos recostamos en él, mientras que nos quedamos observando el techo. Era como si ninguno fuera capaz de creer hasta dónde habíamos llegado.

Entonces, una pequeña duda alcanzó mi mente.

—¿En serio crees que Alphonse podría pedirme que me case con él?

—Bueno, no sería la primera persona en llevar a su novia a París para una proposición especial —contestó David, y volteó su cabeza para verme—. Y si no se casa contigo, es posible que se queden todo el viaje encerrados en la habitación del hotel. Tú más que nadie sabe de la cantidad de sexo que puede haber en sólo un fin de semana.

—Si te soy honesta, prefiero el sexo de 48 horas al matrimonio.

Ambos nos reímos.

—David, eres el mejor amigo que he tenido, ¿lo sabes?

—E igual que con tus amantes, él único que has tenido. Tienes que salir un poco más. Aprovecha que ahora tienes un novio con influencias y amigos. Seguro que puede conseguir un trabajo a los dos rápidamente.

Como si lo hubiéramos conjurado al mencionar su nombre,

fuimos interrumpidos por el sonido del timbre. Esta vez tenía que ser él. Corrí a atenderlo, emocionada. David hizo señales con su rostro para burlarse de lo excitada que estaba de poder estar con Alphonse.

Y entonces, su voz se escuchó a través del intercomunicador.

—¿Lista, querida?
—Sí —contesté, confiada de mí misma—. Bajo en un segundo.

Me separé del intercomunicador, y tomé mi maleta. Casi me iba olvidando de que David aún estaba en mi apartamento, pero por suerte él me siguió hasta abajo. Llegamos hasta la entrada de mi edificio, y ahí estaba él, igual que la primera vez que me dejó en mi casa tras una viernes laboral, sólo que en lugar de su lujoso auto negro estaba estacionado un taxi, y en lugar de su elegante traje vestía una ropa casual, de pantalones blancos y una camisa verde limón. Tenía puestas unas gafas oscuras que se quitó al verme.

Antes de correr a sus brazos, me tenía que despedir de David, aunque me sentía muy inquieta por tomar el taxi y desaparecerme con Alphonse en Europa. Me acerqué hasta mi amigo, y lo abracé con fuerza.

—Pásala bien. Sabes a qué me refiero —dijo David con picardía.
—Convierte a Platonic en la mejor revista de chismes del mundo —dije, y luego le susurré por lo bajo—. Y sé bueno con Pamela. Ella ha pasado por cosas muy duras.
—Lo intentaré, pero no prometo nada.

Volvimos a reír, y esta vez en forma de un adiós. Bajé las escaleras, y me lancé a los brazos de mi hombre. Compartimos un largo y tierno beso, en el cual supuse que David debía de sentirse incómodo. Al separarnos. Los dos hombres se saludaron con al asentir con la cabeza. Alphonse luego abrió la puerta del taxi, como siempre hacía, y me senté en el asiento.

Mientras el taxi iba perdiéndose al final de mi calle, me volteé a observar mi edificio, en el que David se despedía de nosotros con la mano. No pude evitar despedirme igual, por muy cursi que pareciera.

  —Es sólo unos días. Lo volverás a ver muy pronto, cuando regreses a trabajar —dijo Alphonse.
  —No sé si pueda seguir trabajando en Platonic —dije, encogiéndome de hombros—. La única razón por la que estaba allí ya no trabaja ahí.

Parecía como si Alphonse intentara reprimir una sonrisa, y fallaba al intentarlo. Me tomó de las manos, y me observó a los ojos.

  —Te amo, Margaret Tennenbaum.
  —Y yo te amo a ti, Alphonse Rieter.

Compartimos un segundo beso. Sin saber que sería de nosotros de ahora en adelante, dejé que nuestra vida nos llevará no sólo a Paris, sino a nuevos trabajos, nuevos momentos íntimos y, desde luego, nuevas experiencias sexuales.

Me recosté en el asiento, y por primera vez en mucho tiempo, no me sentí como antes, cuando estaba obsesionada por alguien. Esta vez, me sentía enamorada. Ahora yo estaba completa, y él estaba completo conmigo.

Ambos estábamos completos.

≈ FIN ≈

OTROS LIBROS:

Ese Pervertido y Yo
Un extraño, para nada de su tipo, hace que Esther viva las experiencias más eróticas de su vida. Lo extraño es, que ese extraño, no es tan extraño como ella pensaba.

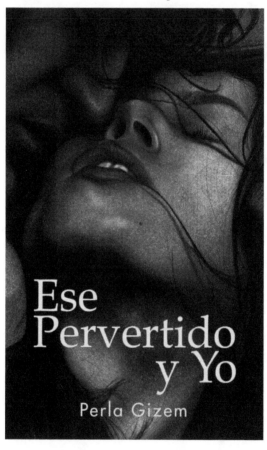

Bellaka Plus

Julia, una mujer exitosa y adicta al sexo, acude a un reconocido psicólogo para solicitarle ayuda con un caso nunca antes visto en su carrera. A lo largo de la terapia, Julia descubre que la razón principal por la que ha acudido a consulta no es la única cosa de su vida que debe ser sanada. Mientras, su psicólogo descubre que tiene más implicaciones en el caso de su paciente de lo que inicialmente imaginó.

Puta a los 40+

Luego de pasar 47 años bajo la sombra de un modelo de vida conservador que le obligaba a mantener celibato, y tras comenzar una vida nueva lejos de la presión familiar, Elena Casañas decide que es momento de comenzar a hacer las cosas diferentes. En el camino, se encuentra con nuevas formas de disfrutar de sí misma, forma lazos personales imborrables y descubre todas las cosas buenas que el sexo había estado preparando para ella. Pero, también se da cuenta de los choques personales que puede generar un cambio de paradigma, mientras todavía aprende a lidiar con lo que significa su nueva vida.

TRAVESURAS EN EL TRABAJO

CPSIA information can be obtained
at www.ICGtesting.com
Printed in the USA
LVHW03s1630160718
583903LV00005B/653/P